APPLICATION MATHEMATICS

응용
왕수학

왕수학연구소
박 명 전

4 학년

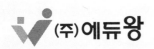 (주)에듀왕

수학 왕을 꿈꾸는 어린이들에게

수학자 가우스가 초등 학교에 다니던 때 하루는 선생님께서 학생들에게 1부터 100까지 자연수를 모두 더하는 문제를 내셨습니다. 모든 학생들이 끙끙대며 1부터 더하기를 해나가고 있는데 가우스만이 문제를 받자마자 아무런 풀이 과정 없이 정답이 5050이라고 제출해 선생님을 깜짝 놀라게 했다고 합니다.

가우스는 $1+2+3+\cdots+98+99+100$을 단지 $100+1=101$, $99+2=101$, $98+3=101$ 등으로 계산하면 50개의 쌍이 나오므로 답은 50×101, 즉 5050이라고 암산하였던 것이지요.
이 일화는 가우스의 천재적인 계산 능력을 보여 줄 뿐만 아니라 수학을 대하는 우리들의 자세를 일깨어 주고 있습니다.

수학은 단순히 공식을 암기하거나 사칙연산만을 다루는 학문이 아닙니다. 오히려 여러 가지 방법으로 문제를 분석하고 해석하여 새로운 풀이에 접근해 보는 보다 활동적인 학문임을 염두해 두어야 합니다. 난이도가 높은 문제일수록 더더욱 이러한 창의적인 사고력과 문제해결력을 보다 요구하게 되지요. 응용왕수학은 바로 이러한 요구에 발맞추고자 노력하여 맺은 열매입니다.

이 책에는 제가 20여년 동안 교육 일선에서 수학경시반을 이끌어 오면서 11년 연속으로 수학왕을 지도, 배출한 노하우가 고스란히 담겨져 있습니다.
난이도 높은 문제를 보다 다양하고 쉬운 방법으로 해결해 나가는 획기적인 과정을 다루어 수학에 대한 흥미를 유발하게 하였습니다. 또 다양한 문제를 실어 어린이들이 폭넓고 깊이 있는 해결능력을 배양하는 데 보탬이 되고자 하였습니다.

수학의 영재를 꿈꾸는 어린이들이 이 책을 통해 꿈에 가까이 다가갈 수 있기를 바라는 마음뿐입니다.

응 용 왕 수 학

이 책의 특징과 구성

1 교육과정 개정에 따라 학년별 교과 내용을 영역으로 나누어 문제를 편성, 수록하였습니다.

2 교과서의 수준을 뛰어 넘는 난이도 높은 문제들을 수록하여 전국경시대회, 과학고, 영재고 등과 같은 시험에 대비하는 데 부족함이 없도록 준비하였습니다.

3 해결 방법을 쉽게 이해할 수 있도록 체계적이고 논리적인 해설을 자세히 실었습니다.

핵심내용

교과 내용 중 핵심적인 내용이 정리되어 있습니다. 공부할 내용을 미리 알고 요점을 정리해 놓으면 문제 해결에 많은 도움이 될 것입니다.

탐구

단원에 관련된 문제를 유형별로 간추려 그 해법을 따라가 보았습니다. 유형을 익혀 놓으면 뒤의 왕문제, 왕중왕문제를 풀 때 보다 쉽게 접근할 수 있을 것입니다.

연습문제

탐구에서 찾아낸 해결 방법을 연습함으로써 어려운 문제의 해결 방안을 익힐 수 있게 하였습니다.

왕문제

본격적으로 적절한 해결 방법을 생각해 문제를 풀어 봄으로써 응용력과 문제해결력을 키워 나가는 단계입니다. 각각의 문제를 최선을 다하여 풀다 보면 사고력과 응용력이 높아질 것입니다.

왕중왕문제

전국경시대회, 영재교육원, 특목고를 대비할 수 있는 문제들을 수록하였습니다. 꾸준히 도전하면 중, 고등 과정과도 접목할 수 있는 풍부한 실력을 갖출 수 있게 될 것입니다.

응용왕수학

CONTENTS
차례

4 학년

정 답 과 풀 이

I 수와 연산

APPLICATION

응 용 왕 수 학

1 큰 수 알아보기

4	5	9	0	3	6	2	4	8	2	7	0	1	9	6	8
천	백	십	일	천	백	십	일	천	백	십	일	천	백	십	일
			조				억				만				

➡ 쓰기 : 4590362482701968

➡ 읽기 : 사천오백구십조 삼천육백이십사억 팔천이백칠십만 천구백육십팔

➡ 4590362482701968에서 5는 백조의 자리의 숫자이고, 이것은 500조를 나타냅니다.

2 큰 수 뛰어세기

- 10000씩 뛰어세기
  25000 − 35000 − 45000 − 55000 − 65000 − 75000

- 10배 한 수
  9억 − 90억 − 900억 − 9000억 − 9조 − 90조

3 수의 크기 비교하기

- 자릿수가 다를 때 : 자릿수가 많은 쪽이 큽니다.

  $$215469 < 21541845$$
  (6자리 수) (8자리 수)

- 자릿수가 같을 때 : 제일 앞에 있는 자리의 숫자부터 크기를 비교합니다. 이때 앞자리의 숫자가 같으면 다음 자리의 숫자를 차례로 비교합니다.

  $$42134785 > 42123214$$
  3 > 2

4 가장 큰 수와 가장 작은 수 만들기

- 가장 큰 수 : 가장 큰 숫자부터 차례로 씁니다.
- 가장 작은 수 : 가장 작은 숫자부터 차례로 씁니다. (단, 0은 가장 앞 자리에 쓸 수 없습니다.)

10장의 숫자 카드 중에서 9장을 뽑아 한 번씩 사용하여 아홉 자리 수를 만들었습니다. 물음에 답하시오.

| 0 | 1 | 2 | 3 | 4 | 5 | 6 | 7 | 8 | 9 |

(1) 만들 수 있는 가장 큰 수와 가장 작은 수의 차를 구하시오.

(2) 만들 수 있는 세 번째로 큰 수와 세 번째로 작은 수의 합을 구하시오.

풀이

(1) 가장 큰 수는 숫자 카드 중 큰 숫자부터 차례로 씁니다. ➡ _____

가장 작은 수는 0을 제외한 가장 작은 숫자를 먼저 씁니다. ➡ _____

따라서 두 수의 차는 _____ − _____ = _____ 입니다.

(2) 두 번째로 큰 수 : _____ , 세 번째로 큰 수 : _____

두 번째로 작은 수 : _____ , 세 번째로 작은 수 : _____

따라서 세 번째로 큰 수와 세 번째로 작은 수의 합은

_____ + _____ = _____ 입니다.

답 (1) _____ (2) _____

EXERCISE 1

1 578605794보다 1만 큰 수와 1만 작은 수를 차례로 쓰시오.

2 4 , 1 , 3 , 0 , 9 , 5 , 7 , 6 의 숫자 카드를 한 번씩 사용하여 다음 여덟 자리 수를 만들어 보시오.

(1) 백만의 자리의 숫자가 5인 가장 큰 수

(2) 십만의 자리의 숫자가 9인 가장 작은 수

3 0 , 1 , 2 , 4 , 5 의 숫자 카드를 두 번까지 사용하여 만든 아홉 자리 수 중 가장 큰 수와 가장 작은 수의 차를 구하시오.

■ 안에 0에서 9까지의 어느 숫자를 넣어도 됩니다. 가장 큰 수부터 차례로 기호를 쓰시오.

> ㉠ 789002 ■ 458 ■ ■   ㉡ 789 ■ 432567 ■ 6
>
> ㉢ 7890009 ■ ■ ■ 931   ㉣ 78 ■ 001 ■ ■ 3695

풀이

먼저 몇 자리 수인지 알아봅니다.

㉠ ☐자리 수, ㉡ ☐자리 수, ㉢ ☐자리 수, ㉣ ☐자리 수 ➡ 가장 큰 수 : ☐

㉠, ㉡, ㉣의 ■ 안에 0 또는 9를 넣고 앞 자리의 숫자부터 차례로 비교하면

☐ > ☐ > ☐ 입니다.

따라서 ☐ > ☐ > ☐ > ☐ 입니다.

답 ☐ , ☐ , ☐ , ☐

EXERCISE 2

1 ☐ 안에 들어갈 수 있는 숫자를 모두 써 보시오.

> 87 ☐ 342573 < 875463259

2 ☐ 안에 0에서 9까지 어느 숫자를 넣어도 됩니다. 네 수의 크기를 비교하여 가장 큰 수부터 차례로 기호를 써 보시오.

> ㉠ ☐ 8257 ☐ 435   ㉡ 991562451   ㉢ 982634 ☐ 54   ㉣ 8913527111

3 ㉮가 나타내는 수는 ㉯가 나타내는 수의 몇 배입니까?

> 632754236241924
>   ↑   ↑
>   ㉮   ㉯

왕 문제

		A P P L I C A T I O N	전국 경시 예상 등위			
			대상권	금상권	은상권	동상권
			19/20	18/20	17/20	16/20

1 수를 읽어 보시오.

(1) 40302010506070

(2) 2654398700647900

2 0부터 9까지의 숫자를 한 번씩 사용하여 80억에 가장 가까운 수를 만들어 보시오.

3 100만보다 99 작은 수와 10만보다 99 작은 수의 차는 얼마입니까?

4 15억보다 크고 16억보다 작은 자연수는 모두 몇 개입니까?

5 ㉮가 나타내는 수는 ㉯가 나타내는 수의 몇 배입니까?

854763248329

↑   ↑
㉮   ㉯

6 □ 안에 들어갈 수 있는 숫자를 모두 구하시오.

68□729 > 687888

7 숫자를 한 번씩만 사용하여 만든 일곱 자리 수 중에서 4번째로 큰 수는 얼마입니까?

0   2   3   4   5   6   7

8 숫자 카드를 두 번씩 사용하여 여덟 자리 수를 만들려고 합니다. 다음 수를 구하시오.

5   9   0   7

(1) 만들 수 있는 두 번째로 큰 수

(2) 만들 수 있는 세 번째로 작은 수

9 뛰어세기를 한 것입니다. 빈 곳에 알맞은 수를 써넣으시오.

| 53조 200억 | | | | | | 68조 800억 |

10 한별이네 집에서 학교까지의 거리는 580 m 입니다. 우주의 어느 별에서 지구까지의 거리는 한별이네 집에서 학교까지의 거리의 100억 배라고 합니다. 이 별에서 지구까지의 거리는 몇 km 입니까?

11 ■ 안에 숫자가 지워져 보이지 않습니다. 세 수의 크기를 비교하여 가장 큰 수부터 차례로 기호를 써 보시오.

ㄱ 95■48175■5
ㄴ ■502■■5840
ㄷ 9503■976■4

12 100원짜리 동전 100개를 쌓은 높이는 160 mm 입니다. 100원짜리 동전 10억 개를 쌓는다면 높이는 몇 km가 되겠습니까?

13 0부터 7까지의 숫자 중에서 한 번씩 사용하여 만든 일곱 자리 수 중 가장 큰 수와 가장 작은 수의 차는 얼마입니까?

14 □ 안에 알맞은 수를 써넣으시오.

$$\left.\begin{array}{r} 10 \text{이 } 276 \text{개} \\ 100 \text{이 } 3 \text{개} \\ 1000 \text{이 } 27 \text{개} \\ 10000 \text{이 } 340 \text{개} \end{array}\right\} \text{이면 } \boxed{} \text{입니다.}$$

15 다음과 같은 숫자 카드가 있습니다. 이 숫자 카드를 한 번씩 사용하여 만든 여섯 자리 수 중 두 번째로 큰 수와 두 번째로 작은 수를 차례로 써 보시오.

| 0 | 1 | 2 | 3 | 4 | 5 |

16 5000만 명의 인구가 한 달에 10000원씩 저금하여 50조 원의 돈을 모으려면 몇 년 몇 개월이 걸리겠습니까? (단, 이자는 생각하지 않습니다.)

17 다음 중 수로 나타낼 때 숫자 0의 개수가 가장 많은 것은 어느 것입니까?

① 이천칠백만 구백   ② 육백만 구십

③ 구천만 오백   ④ 사천육백칠십팔만

⑤ 삼천이백만 구십오

18 가장 큰 수는 어느 것입니까?

　① 47억 6108만 　　　　　　　　② 47610800000
　③ 억이 47개, 만이 6108개인 수 　④ 100만이 4700개, 천이 6108개인 수
　⑤ 1000만이 407개, 천이 6180개인 수

19 만 원짜리 100장을 쌓은 높이는 7 mm입니다. 만 원짜리로 1000억 원이 되도록 쌓으면 높이는 몇 m가 되겠습니까?

20 가장 큰 수부터 차례로 기호를 써 보시오.

　　　　　⊙ 백만이 22개, 십만이 3개, 십이 5개
　　　　　ⓒ 만이 9090개, 일이 1234개
　　　　　ⓒ 오천육백만 육백이십구
　　　　　㉣ 50000000＋6000000＋60＋9

1 백만의 자리의 숫자가 7인 일곱 자리 수 중에서 7899999보다 큰 수는 모두 몇 개입니까?

2 1부터 6까지의 숫자가 쓰인 주사위 10개를 던져 나온 눈의 수로 10자리 수를 만들 때, 10번째로 큰 수는 얼마입니까?

3 1에서 9까지의 숫자가 쓰인 9장의 숫자 카드가 있습니다. 이 숫자 카드를 한 번씩 사용하여 9자리 수를 만들 때, 8억에 가장 가까운 수는 얼마입니까?

4 600억의 $\dfrac{1}{1000}$ 은 10만의 몇 배입니까?

5 ☐ 안에는 0에서 9까지 어느 숫자를 넣어도 됩니다. 가장 큰 수는 어느 것입니까?

① 79904☐17☐38

② 799☐61☐9999

③ 79☐0246☐325

④ 7990246☐325

⑤ 80☐☐954320

6 ☐ 안에 들어갈 수 있는 숫자들의 합을 구하시오.

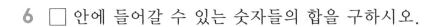

$$875943624 > 87\square 294384$$

7 0부터 9까지의 숫자를 한 번씩 사용하여 10자리 수를 만들 때, 9876541230 보다 큰 수는 모두 몇 개 만들 수 있습니까?

8 0부터 9까지의 숫자 중에서 한 번씩 사용하여 여덟 자리 수를 만들 때, 가장 큰 수에서 숫자 7이 나타내는 수는 가장 작은 수에서 숫자 7이 나타내는 수의 몇 배입니까?

9 ㉠㉡293806의 여덟 자리 수가 있습니다. 이 수의 천만의 자리와 백만의 자리의 숫자를 바꾸어 썼더니, 처음 수보다 2700만이 작아졌습니다. 처음 수를 구하시오. (단, ㉠과 ㉡의 합은 11입니다.)

10 A , 5 , 3 , 4 , 6 5장의 숫자 카드를 한 번씩 사용하여 가장 큰 수와 가장 작은 수를 만들었을 때, 그 합이 78887이 되었습니다. A는 어떤 숫자인지 구하시오.

11 □ 안에 알맞은 수를 써넣으시오.

> 0, 3, 4, 7, 9의 숫자가 적힌 5장의 숫자 카드를 2번까지 사용하여 십만의 자리의 숫자가 4, 백의 자리의 숫자가 9인 가장 큰 여섯 자리 수를 만들었습니다.
>
> 이 수보다 10만 큰 수는 천이 [   ]개, 일이 [   ]개인 수입니다.

12 뛰어세기를 한 것입니다. 빈 곳에 알맞은 수를 써넣으시오.

| 102746 | — | | — | | — | 259706 | — | |

13 6 , □ , 0 3장의 숫자 카드 중 한 장이 뒤집어져 있어 그 숫자를 알 수 없습니다. 이 숫자 카드를 세 번까지 사용하여 여덟 자리 수를 만들 때, 가장 큰 수와 가장 작은 수의 차가 36629934라면, 가장 큰 수와 가장 작은 수는 얼마입니까?

14 □ 안에 알맞은 수를 써넣으시오.

천만이 12개
백만이 58개
십만이 27개
만이 256개 이면 [   ] 입니다.
백이 350개
일이 500개

15 ■ 안의 수는 지워져서 보이지 않습니다. 가장 큰 수는 어느 것입니까?

① 1조가 46개이고 1억이 18960개인 수

② 469만의 100만 배인 수

③ 46■■6000000000

④ 46조 8960억보다 1 큰 수

⑤ 1에서 6까지의 숫자를 2번씩 사용하여 만들 수 있는 가장 큰 수

16 □ 안에 알맞은 수를 써넣으시오.

$$\left.\begin{array}{rr} 10억이 & 24개 \\ 1억이 & \boxed{}개 \\ 1000만이 & 29개 \\ 1만이 & 527개 \\ 100이 & 327개 \\ 1이 & 46개 \end{array}\right\}\text{인 수는 } 28195302746 \text{입니다.}$$

17 다음과 같이 뛰어서 셀 때, 50만에 가장 가까운 수는 얼마입니까?

| 96408 | — | 136615 | — | 176822 | — | 217029 |

18 천만의 자리의 숫자가 8이고, 백만의 자리의 숫자가 6인 여덟 자리 수는 모두 몇 개입니까?

19 다음 조건을 모두 만족하는 수를 구하시오.

  • 백의 자리, 십의 자리, 일의 자리의 숫자가 모두 9입니다.
  • 98699000보다 큽니다.
  • 구천팔백칠십만보다 작습니다.

20 0에서 9까지의 숫자를 한 번씩 사용하여 만든 가장 큰 수의 돈으로 1000원 짜리 물건은 몇 개까지 살 수 있습니까?

1 곱셈

- 100배, 1000배, 10000배

  8의 100배 ➡ $8 \times 100 = 800$

  8의 1000배 ➡ $8 \times 1000 = 8000$

  8의 10000배 ➡ $8 \times 10000 = 80000$

- (몇백) × (몇천)

  $$500 \times 7000 = 3500000$$

  0이 5개

  $5 \times 7 = 35$

- (네 자리 수) × (두 자리 수)

  $$
  \begin{array}{r}
  6341 \\
  \times \quad 85 \\
  \hline
  \end{array}
  \quad ➡ \quad
  \begin{array}{r}
  6341 \\
  \times \quad 85 \\
  \hline
  31705 \\
  \end{array}
  \quad ➡ \quad
  \begin{array}{r}
  6341 \\
  \times \quad 85 \\
  \hline
  31705 \\
  50728 \\
  \end{array}
  \quad ➡ \quad
  \begin{array}{r}
  6341 \\
  \times \quad 85 \\
  \hline
  31705 \\
  50728 \\
  \hline
  538985 \\
  \end{array}
  $$

- 세 수의 곱셈

  $$5 \times 3 \times 6 = 15 \times 6 = 90$$

  $$
  \begin{array}{r}
  5 \\
  \times \; 3 \\
  \hline
  15 \\
  \end{array}
  \qquad
  \begin{array}{r}
  15 \\
  \times \; 6 \\
  \hline
  90 \\
  \end{array}
  $$

2 나눗셈

- (몇십) ÷ (몇십)

  $$90 \div 30 = 3$$

  $(9 \div 3 = 3)$

  $$
  \begin{array}{r}
  3 \\
  30 \overline{)90} \\
  90 \\
  \hline
  0 \\
  \end{array}
  $$

- (세 자리 수) ÷ (두 자리 수)

  $$
  53 \overline{)655}
  \quad ➡ \quad
  \begin{array}{r}
  1 \\
  53 \overline{)655} \\
  53 \\
  \hline
  12 \\
  \end{array}
  \quad ➡ \quad
  \begin{array}{r}
  1 \\
  53 \overline{)655} \\
  53 \\
  \hline
  125 \\
  \end{array}
  \quad ➡ \quad
  \begin{array}{r}
  12 \\
  53 \overline{)655} \\
  53 \\
  \hline
  125 \\
  106 \\
  \hline
  19 \\
  \end{array}
  $$

  $655 \div 53 = 12 \cdots 19$　(검산) $53 \times 12 + 19 = 636 + 19 = 655$

⊙~㉚에 알맞은 숫자를 구하시오.

$$
\begin{array}{r}
  \boxed{⊙}\ 2\ \boxed{⊙} \\
  \times\quad 4\ \boxed{⊙}\ \boxed{⊙} \\
  \hline
  9\ 8\ 1 \\
  1\ \boxed{⊙}\ 0\ \boxed{⊙} \\
  \hline
  1\ \boxed{⊙}\ \boxed{⊙}\ \boxed{⊙}\ 8\ 1 \\
\end{array}
$$

풀이

㉡과 ㉣의 곱에서 일의 자리의 숫자가 1이 되는 경우는

$\boxed{} \times \boxed{} = \boxed{}$, $\boxed{} \times \boxed{} = \boxed{}$, $\boxed{} \times \boxed{} = \boxed{}$, $\boxed{} \times \boxed{} = \boxed{}$ 입니다.

이 중 $2 \times$ ㉣에서 일의 자리의 숫자가 8이 되기 위해서는 ㉡은 $\boxed{}$, ㉣은 $\boxed{}$ 이어야 합니다.

따라서 ㉠$\times$㉣$=\boxed{}$ 에서 ㉠은 $\boxed{}$ 이고, $\boxed{} \times$ ㉢$=0$ 이므로 ㉢은 $\boxed{}$ 입니다.

답 ㉠ : $\boxed{}$, ㉡ : $\boxed{}$, ㉢ : $\boxed{}$, ㉣ : $\boxed{}$, ㉤ : $\boxed{}$,

㉥ : $\boxed{}$, ㉦ : $\boxed{}$, ㉧ : $\boxed{}$, ㉨ : $\boxed{}$

EXERCISE 1

1 ☐ 안에 알맞은 숫자를 써넣으시오.

$$
\begin{array}{r}
  \boxed{}\ 6\ \boxed{} \\
  \times\quad 2\ \boxed{}\ 8 \\
  \hline
  6\ \boxed{}\ 0\ 4 \\
  5\ \boxed{}\ \boxed{}\ 1 \\
  1\ \boxed{}\ 2\ 6 \\
  \hline
  2\ 1\ \boxed{}\ \boxed{}\ 1\ 4 \\
\end{array}
$$

2 한별이네 과일 가게에서는 사과를 한 개에 540원에 사 와서 850원에 팔고 있습니다. 하루 동안 사과를 290개 팔았다면 사과를 팔아서 얻은 이익은 얼마입니까?

㉠~㉣에 알맞은 숫자를 구하시오.

```
              ㉡ 2 ㉢
     ㉠7 ) 2 4 1 3 4
        ㉣㉤ 8
          ㉥ 3 3
          1 1 ㉦
          1 9 4
          1 ㉧ ㉨
            2 ㉩
```

풀이

7×㉡의 일의 자리의 숫자가 8이므로 ㉡은 ☐입니다.

㉠7×2=11㉦에서 ㉦은 ☐이고, ㉠은 ☐입니다.

☐×㉢은 194보다 작은 수 중 가장 커야 하므로 ㉢은 ☐입니다.

답 ㉠ : ☐, ㉡ : ☐, ㉢ : ☐, ㉣ : ☐, ㉤ : ☐,

㉥ : ☐, ㉦ : ☐, ㉧ : ☐, ㉨ : ☐, ㉩ : ☐

EXERCISE 2

1 ☐ 안에 알맞은 숫자를 써넣으시오.

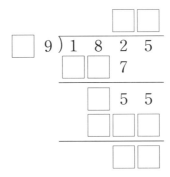

2 한솔이네 과수원에서는 사과 65732개를 땄습니다. 이 사과를 한 상자에 68
개씩 넣는다면 모두 몇 상자가 되고 몇 개가 남겠습니까?

1 다음 식에서 ㉮가 될 수 있는 수 중에서 가장 작은 수와 가장 큰 수를 각각 구하시오.

$$㉮ \div 39 = 100 \cdots ㉯$$

2 같은 문자는 같은 숫자를 나타냅니다. 각각의 문자에 알맞은 숫자를 구하시오.

(1)
$$\begin{array}{r} 8\,A\,A\,B \\ \times \qquad 4 \\ \hline 3\,A\,A\,B\,8 \end{array}$$

(2)
$$\begin{array}{r} 5\,A\,B\,C\,D\,E \\ \times \qquad\qquad 3 \\ \hline 1\,A\,B\,C\,D\,E\,4 \end{array}$$

3 각 자리의 숫자의 합이 11인 세 자리 수가 있습니다. 이 수를 90으로 나누었더니 몫은 두 자리 수이고 나머지는 11이었습니다. 세 자리 수를 구하시오.

4 327로 나누면 나머지가 189가 되는 다섯 자리 수 중에서 가장 큰 수를 구하시오.

5 세 자리 수를 37로 나누었더니 몫이 두 자리 수이고 나머지는 13이 되었습니다. □ 안에 알맞은 숫자를 찾아 합을 구하면 얼마입니까?

$$60\boxed{} \div 37 = \boxed{}\boxed{} \cdots 13$$

6 오른쪽 나눗셈에서 □ 안에 알맞은 숫자를 써넣으시오.

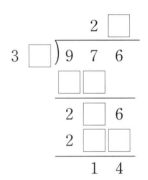

7 1, 2, 3, 4를 한 번씩 사용하여 만든 네 자리 수를 39로 나누었더니 몫이 82 가 되었습니다. 이때의 나머지를 구하시오.

8 길이가 87m인 기차가 일정한 빠르기로 1시간에 90km씩 달리고 있습니다. 이 기차가 238m 되는 철교를 완전히 건너는 데는 몇 초가 걸리겠습니까?

9 상연이는 문방구점에서 12자루에 4200원 하는 연필 8자루와 한 권에 780원 하는 공책 9권을 사고, 10000원을 내었습니다. 상연이는 거스름돈으로 얼마를 받아야 합니까?

10 다음에서 □ 안에 공통으로 들어갈 수 있는 자연수는 모두 몇 개입니까?

$$\square \times 26 > 585, \quad 17 \times \square < 820$$

11 □ 안에 $+$, $-$, $\times$, $\div$ 를 알맞게 넣어 등식이 성립하도록 하시오. (단, ( ) 를 사용할 수 있고, ( )를 사용할 경우 ( ) 안의 식을 먼저 계산합니다.)

6 □ 6 □ 6 □ 6 = 1   6 □ 6 □ 6 □ 6 = 2

6 □ 6 □ 6 □ 6 = 3   6 □ 6 □ 6 □ 6 = 4

6 □ 6 □ 6 □ 6 = 5   6 □ 6 □ 6 □ 6 = 6

6 □ 6 □ 6 □ 6 = 7   6 □ 6 □ 6 □ 6 = 8

12 10분 동안 한 대를 빌려 타는 데 300원씩 내야 하는 자전거를 1시간 30분 동안 5명이 4대를 빌려 탔습니다. 5명이 똑같이 돈을 낸다면 한 사람이 얼마씩 내야 합니까?

13 $\begin{vmatrix} A & B \\ C & D \end{vmatrix} = A \times D - B \times C$ 입니다. □ 안에 알맞은 수를 써넣으시오.

(1) $\begin{vmatrix} 34 & 12 \\ 9 & 15 \end{vmatrix} = \boxed{}$

(2) $\begin{vmatrix} \boxed{} & 85 \\ 24 & 70 \end{vmatrix} = 410$

(3) $\begin{vmatrix} 26 & \boxed{} \\ 14 & 46 \end{vmatrix} = 748$

14 15000원을 효근, 석기, 한별 세 사람이 나누어 가졌습니다. 효근이는 한별이의 2배보다 4000원 더 적게 갖고, 석기는 한별이보다 1400원 더 많게 가졌다면 효근, 석기, 한별이는 각각 얼마씩 가졌습니까?

15 각각의 ㉠, ㉡, ㉢은 같은 숫자를 나타냅니다. ㉠, ㉡, ㉢에 알맞은 숫자를 구하시오.

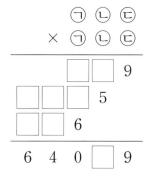

16 규형이네 학교의 개교 기념일에 전교 학생들에게 선물을 주기 위해 공책을 준비하였습니다. 1사람에게 8권씩 나누어 주면 23권이 부족하고, 6권씩 나누어 주면 1023권이 남을 때, 이 학교의 학생 수와 준비한 공책 수를 각각 구하시오.

17 어떤 학교에서 시행된 수학경시대회의 문제는 모두 25문제입니다. 이 시험에서는 한 문제를 맞을 때마다 8점씩 얻고, 한 문제를 틀릴 때마다 3점씩 잃게 됩니다. 영수가 이 시험에서 68점을 얻었다면 영수는 몇 문제를 맞은 것입니까?

18 □ 안에 알맞은 숫자를 써넣어 나눗셈을 완성하시오.

(1)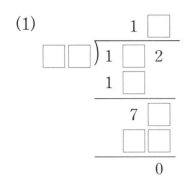

(2)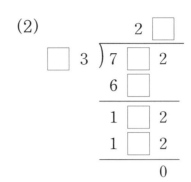

19 한별이의 국어, 수학, 사회, 과학의 1학기 말 시험의 평균 점수는 87점이었는데 2학기 말 시험에서 1학기 말 점수보다 국어는 4점, 수학은 8점, 사회는 5점 더 높은 점수를 받고, 과학은 1점 더 낮은 점수를 받았습니다. 한별이의 2학기 말 시험의 평균 점수는 얼마입니까? (단, (평균)＝(총점)÷(과목 수)입니다.)

20 어떤 수를 54로 나누어야 할 것을 잘못하여 십의 자리의 숫자와 일의 자리의 숫자가 바뀐 수로 나누었더니 몫은 14, 나머지는 9가 되었습니다. 바르게 계산하여 몫과 나머지를 구하시오.

1 다음 숫자 카드 중 3장을 뽑아 한 번씩 사용하여 세 자리 수를 만들었습니다. 만든 수를 24로 나누었을 때, 몫이 33이고 나머지가 있는 경우는 모두 몇 가지입니까?

$$\boxed{3} \quad \boxed{7} \quad \boxed{9} \quad \boxed{1} \quad \boxed{8} \quad \boxed{5}$$

2 다섯 자리 수 중에서 997로 나눌 때 몫과 나머지의 합이 가장 크게 되는 수를 구하시오.

3 29에 104를 곱해야 할 것을 잘못하여 29에 다른 수를 곱했더니 그 곱이 바른 답보다 116이 커졌습니다. 다른 수는 얼마입니까?

4 어떤 수에 8을 더하여 6배 하는 계산을 잘못하여 6을 더한 후 8배 하였더니 바르게 계산한 답보다 264가 커졌습니다. 어떤 수는 얼마입니까?

5 어떤 수에 700을 곱한 후 1998을 더할 것을 잘못하여 700으로 나눈 후 1998을 빼었더니 2가 되었습니다. 바르게 계산하면 얼마입니까?

6 세 자리 수 중에서 27로 나눌 때 몫과 나머지가 같은 수는 모두 몇 개입니까?

7 세 자리 수 중에서 27로 나눌 때 나머지가 15가 되는 수는 모두 몇 개입니까?

8 나누어지는 수가 네 자리 수인 나눗셈에서 다음과 같이 보이지 않는 부분이 있습니다. 나누어지는 수와 몫을 차례로 쓰시오.

$$98\text{▨▨} \div 136 = \text{▨▨} \cdots 13$$

9 을 모두 만족하는 세 자리 수는 몇 개입니까?

> 조건
>
> ㉠ 25로 나누면 나머지가 7입니다.
> ㉡ 각 자리의 숫자의 합은 14입니다.

10 다음과 같이 각각의 자리의 숫자가 같은 나눗셈에서 나머지가 7일 때, ☐ 에 공통으로 들어갈 숫자를 쓰시오.

11 문자에 알맞은 숫자를 각각 구하시오. (단, 서로 같은 문자는 같은 숫자를 나타냅니다.)

$$
\begin{array}{r}
D\,C \\
A\,B\,C\,\overline{\smash{)}\,D\,E\,D\,C} \\
\underline{D\,A\,B} \\
C\,D\,C \\
\underline{C\,D\,C} \\
0
\end{array}
$$

12 ☐ 안에 알맞은 숫자를 써넣으시오.

(1)
```
      ☐ ☐ 2
  ×     3 ☐
  ─────────
      3 ☐ ☐ 2
  1 8 ☐ 6
  ─────────
  ☐ ☐ ☐ 5 2
```

(2)
```
        ☐ ☐
    ×   8 ☐
  ─────────
      ☐ ☐ ☐
      ☐ ☐
  ─────────
    ☐ ☐ ☐ ☐
```

13 ☐ 안에 알맞은 숫자를 써넣으시오.

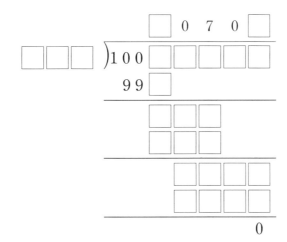

14 어린이 몇 명에게 연필을 나누어 주었는 데 7자루씩 주었더니 111자루가 남아서 10자루씩 주었더니 꼭 맞았습니다. 몇 명에게 연필을 나누어 주었습니까?

15 달걀 500개를 한 개에 70원씩 주고 사 오다가 100개를 깨뜨리고 나머지는 한 개에 120원씩 팔았습니다. 달걀을 팔아 생긴 이익금을 몇 명이 나누어 가졌을 때 한 사람이 1625원씩 갖게 되었다면, 모두 몇 명이 이익금을 나누어 가진 것입니까?

16 길이가 135m인 기차가 1초에 25m씩 달리고 있습니다. 이 기차가 터널에 들어서기 시작한 지 32초 만에 완전히 통과하였다면 이 터널의 길이는 몇 m입니까?

17 한초네 문방구점에서 공책값을 정하려고 합니다. 공책 7권의 값은 3600원이 안되고, 8권의 값은 3600원을 넘게 하려고 할 때, 공책을 가장 비싸게 팔려면 공책 1권의 값은 얼마로 정해야 하겠습니까? (단, 공책값은 10원 단위입니다.)

18 { }는 { } 안의 수를 7로 나눈 몫과 5로 나눈 몫의 합을 나타내고, [ ]는 [ ] 안의 수를 7로 나누었을 때의 나머지와 5로 나누었을 때의 나머지의 합을 나타냅니다. 예를 들면, {25}=3+5=8, [25]=4+0=4가 됩니다. 물음에 답하시오.

(1) {26}+[26]을 구하시오.

(2) {A}=22, [A]=2가 되는 A를 구하시오.

19 석기는 가지고 있는 사과를 한 상자에 72개씩 넣으면 32개가 부족하고 한 상자에 63개씩 넣으면 346개가 남는다고 합니다. 석기가 가지고 있는 사과는 모두 몇 개입니까?

20 다음과 같이 규칙적으로 나열된 수를 일정하게 묶었습니다. 100번째 묶음에 있는 수들의 합을 구하시오.

(2, 4, 6), (8, 10), (12, 14, 16), (18, 20), (22, 24, 26), …

1 **분모가 같은 분수의 덧셈**

- 진분수의 덧셈
  ① 분모는 그대로 쓰고, 분자는 분자끼리 더합니다.
  ② 계산 결과가 가분수이면 대분수로 나타냅니다.

  예 $\dfrac{1}{4}+\dfrac{2}{4}=\dfrac{3}{4}$ $\dfrac{5}{7}+\dfrac{4}{7}=\dfrac{9}{7}=1\dfrac{2}{7}$

- 대분수의 덧셈
  ① 자연수는 자연수끼리, 진분수는 진분수끼리 더합니다.
  ② 진분수끼리의 합이 가분수가 되면 대분수로 나타냅니다.

  예 $2\dfrac{3}{5}+1\dfrac{4}{5}=3+\dfrac{7}{5}=3+1\dfrac{2}{5}=4\dfrac{2}{5}$

2 **분모가 같은 분수의 뺄셈**

- 진분수의 뺄셈
  분모는 그대로 쓰고, 분자는 분자끼리 뺍니다.

  예 $\dfrac{2}{3}-\dfrac{1}{3}=\dfrac{1}{3}$ $\dfrac{5}{7}-\dfrac{2}{7}=\dfrac{3}{7}$

- 자연수와 분수의 뺄셈
  자연수 1을 분모가 같은 분수로 나타낸 후 뺍니다.

  예 $4-\dfrac{5}{6}=3\dfrac{6}{6}-\dfrac{5}{6}=3\dfrac{1}{6}$

- 진분수끼리 뺄 수 있는 대분수의 뺄셈
  자연수는 자연수끼리, 진분수는 진분수끼리 뺍니다.

  예 $2\dfrac{4}{5}-1\dfrac{2}{5}=1\dfrac{2}{5}$ $7\dfrac{5}{8}-3\dfrac{2}{8}=4\dfrac{3}{8}$

- 진분수끼리 뺄 수 없는 대분수의 뺄셈
  자연수 1을 분수로 고쳐 계산합니다.

  예 $6\dfrac{1}{4}-2\dfrac{3}{4}=5\dfrac{5}{4}-2\dfrac{3}{4}=3\dfrac{2}{4}$

가영이는 첫째 날에는 $\frac{4}{8}$시간, 둘째 날에는 $\frac{3}{8}$시간, 셋째 날에는 $\frac{6}{8}$시간 동안 줄넘기를 하였습니다. 3일 동안 줄넘기를 한 시간은 모두 몇 시간입니까?

풀이

3일 동안 줄넘기를 한 시간 : $\dfrac{\square}{8} + \dfrac{\square}{8} + \dfrac{\square}{8} = \dfrac{\square}{8} = \square\dfrac{\square}{8}$ (시간)

답 $\square\dfrac{\square}{8}$ 시간

EXERCISE 1

1. $\frac{3}{5}$ kg짜리 물건 2개와 $\frac{2}{5}$ kg짜리 물건 3개의 무게의 합은 모두 몇 kg입니까?

2. 상연이는 $\frac{6}{8}$ m짜리 끈 2개와 $\frac{5}{8}$ m짜리 끈 1개를 가지고 있습니다. 상연이가 가지고 있는 끈의 길이는 모두 몇 m입니까?

3. 웅이, 예슬, 한초가 운동을 하고 물을 마셨습니다. 웅이는 $\frac{2}{5}$ L, 예슬이는 $\frac{3}{5}$ L, 한초는 $\frac{4}{5}$ L를 마셨습니다. 세 사람이 마신 물의 양은 모두 몇 L입니까?

4. 사탕 1봉지의 무게는 $120\frac{3}{5}$ g입니다. 똑같은 사탕 5봉지의 무게는 모두 몇 g입니까?

어떤 일을 하는 데 1시간 동안 효근이는 전체 일의 $\frac{1}{12}$씩 하고, 한솔이는 전체 일의 $\frac{2}{12}$씩 합니다. 효근이와 한솔이가 함께 3시간 동안 일을 했다면, 남은 일의 양은 전체의 얼마입니까?

풀이

효근이가 1시간 동안 한 일의 양 : 전체의 $\dfrac{\boxed{}}{12}$

한솔이가 1시간 동안 한 일의 양 : 전체의 $\dfrac{\boxed{}}{12}$

효근이와 한솔이가 함께 1시간 동안 한 일의 양 : 전체의 $\dfrac{\boxed{}}{12}+\dfrac{\boxed{}}{12}=\dfrac{\boxed{}}{12}$

효근이와 한솔이가 함께 3시간 동안 한 일의 양 : 전체의 $\dfrac{\boxed{}}{12}+\dfrac{\boxed{}}{12}+\dfrac{\boxed{}}{12}=\dfrac{\boxed{}}{12}$

따라서 남은 일의 양은 전체의 $1-\dfrac{\boxed{}}{12}=\dfrac{\boxed{}}{12}$ 입니다.   답 $\dfrac{\boxed{}}{12}$

EXERCISE 2

1 농부와 아들이 밭을 가는 데 1시간 동안 농부는 전체 밭의 $\frac{4}{12}$씩, 아들은 전체 밭의 $\frac{2}{12}$씩 갈 수 있습니다. 농부와 아들이 함께 2시간 동안 밭을 간다면 밭을 모두 갈 수 있습니까, 없습니까?

2 쥐 두 마리가 빵 1개를 함께 먹기 시작하여 1분에 한 마리는 빵 전체의 $\frac{1}{18}$씩 먹고, 또 다른 한 마리는 빵 전체의 $\frac{2}{18}$씩 먹습니다. 빵을 모두 먹는 데는 몇 분이 걸리겠습니까?

왕 문제

1 분모가 12인 진분수 중에서 $\dfrac{5}{12}$ 보다 큰 분수들의 합을 구하시오.

2 □ 안에 들어갈 수 있는 자연수는 모두 몇 개입니까?

$$4\frac{3}{8}+2\frac{5}{8}<\frac{\square}{8}<15\frac{1}{8}-3\frac{3}{8}$$

3 분모가 13인 대분수가 2개 있습니다. 이 두 대분수의 합이 $9\dfrac{3}{13}$ 이고, 차가 $2\dfrac{6}{13}$ 일 때 두 대분수 중 큰 분수를 구하시오.

4 ㉮와 ㉯ 수도를 사용하여 물을 받으려고 합니다. 물이 ㉮ 수도로는 20분에 $24\dfrac{3}{8}$ L 씩 나오고 ㉯ 수도로는 30분에 $32\dfrac{5}{8}$ L 씩 나온다면 두 수도를 동시에 틀어 1시간 동안에 받을 수 있는 물의 양은 몇 L 입니까?

5 색 테이프를 연결하였습니다. 연결된 색 테이프 전체의 길이는 몇 cm입니까? (단, 겹쳐진 부분은 각각 $\frac{1}{4}$cm입니다.)

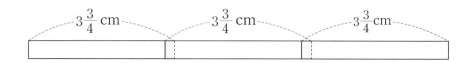

6 □ 안에 들어갈 수 있는 수 중 가장 작은 수를 구하시오.

$$\frac{4}{6} + \frac{\square}{6} > 2$$

7 둘레의 길이가 10 m인 직사각형이 있습니다. 가로가 $3\frac{1}{5}$ m라면 세로는 몇 m입니까?

8 선분 가나의 길이를 구하시오.

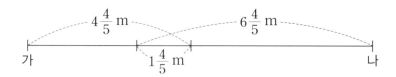

9 □ 안에 알맞은 수를 써넣으시오.

$$\boxed{} - \left\{ 5\frac{6}{30} - \left(4\frac{6}{30} - 1\frac{18}{30}\right)\right\} = 2\frac{18}{30}$$

10 ㉮, ㉯, ㉰ 세 사람이 딸기밭에서 딸기를 땄습니다. ㉮는 $2\frac{24}{25}$ kg, ㉯는 $3\frac{17}{25}$ kg 의 딸기를 땄고 ㉮, ㉯, ㉰ 세 사람이 딴 딸기를 그릇에 모두 담아 무게를 달아 보니 $8\frac{18}{25}$ kg이었습니다. ㉰가 딴 딸기는 몇 kg입니까? (단, 그릇만의 무게 는 $\frac{12}{25}$ kg입니다.)

11 집에서 학교까지의 거리는 몇 km입니까?

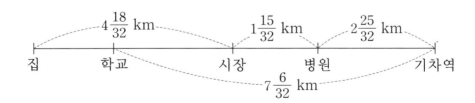

12 물통에 $2\frac{37}{50}$ L의 물이 들어 있습니다. 여기에 한초는 $3\frac{43}{50}$ L의 물을 넣고, 석기는 $1\frac{45}{50}$ L의 물을 덜어냈습니다. 물통에 남은 물은 몇 L입니까?

13 예슬, 석기, 한솔이는 종이 고리를 만들었습니다. 예슬이는 $4\frac{3}{16}$ m, 석기는 예슬이보다 $1\frac{5}{16}$ m 더 짧게, 한솔이는 예슬이보다 $2\frac{7}{16}$ m 더 길게 종이 고리를 만들었습니다. 한솔이는 석기보다 몇 m 더 길게 만들었습니까?

14 효근이는 동화책을 오전에 $4\frac{7}{15}$ 시간, 오후에 $1\frac{10}{15}$ 시간 읽었습니다. $\frac{2}{15}$ 시간 동안 5쪽씩 읽었다면, 효근이는 동화책을 모두 몇 쪽 읽었습니까?

15 8을 분모로 하는 두 가분수의 합은 $7\frac{5}{8}$입니다. 한 가분수의 분자가 다른 가분수의 분자보다 11만큼 크다고 할 때 두 가분수 중 작은 가분수를 구하시오.

16 유승이는 100 m를 $15\frac{2}{3}$초에 달렸고 예슬이는 50 m를 $8\frac{1}{3}$초에 달렸습니다. 같은 빠르기로 유승이와 예슬이가 200 m를 달린다면 유승이는 예슬이보다 몇 초 더 빨리 도착하겠습니까?

17 주어진 분수 3개를 □ 안에 한 번씩 써넣어 계산할 때 계산 결과가 가장 클 때의 값을 구하시오.

$$4\frac{2}{9}, \quad \frac{49}{9}, \quad 6\frac{1}{9} \quad \Rightarrow \quad \boxed{} + \boxed{} - \boxed{}$$

18 어떤 수에 $4\frac{7}{15}$ 을 더하고 $2\frac{4}{15}$ 를 빼어야 할 것을 잘못하여 $4\frac{7}{15}$ 을 빼고 $2\frac{4}{15}$ 를 더했더니 답이 $4\frac{1}{15}$ 이었습니다. 바르게 계산한 답을 가분수로 나타내시오.

19 유승이는 가지고 있던 철사를 똑같이 반으로 나누어 각각 오른쪽 그림과 같은 삼각형과 정사각형을 한 개씩 만들었습니다. 철사를 남김없이 사용했다면, 만든 정사각형의 한 변의 길이는 몇 cm 입니까?

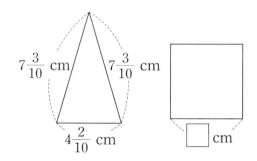

20 길이가 25 cm 인 양초에 불을 붙인 다음 12분 후에 양초의 길이를 재어 보니 $23\frac{2}{5}$ cm 였습니다. 양초에 불을 붙인 후 2시간이 지났을 때 남은 양초의 길이는 몇 cm 입니까?

1 다음과 같이 규칙적으로 늘어놓은 분수들의 합을 구하시오.

$$1\frac{1}{10} \quad 2\frac{2}{10} \quad 3\frac{3}{10} \quad 4\frac{4}{10} \quad \cdots \quad 9\frac{9}{10} \quad 10\frac{10}{10}$$

2 한솔이는 오전 9시 15분에 집을 나와 오후 2시에 집에 돌아왔습니다. 지하철을 탄 시간은 $2\frac{1}{4}$시간, 버스를 탄 시간은 $\frac{2}{4}$시간입니다. 나머지는 걸었다면 걸은 시간은 몇 시간입니까?

3 분모가 8인 세 가분수 가, 나, 다가 있습니다. 세 가분수의 분자는 가가 나보다 6 작고, 다가 나보다 3 큽니다. 세 가분수의 합이 $7\frac{4}{8}$일 때, 가, 나, 다를 구하시오.

4 숫자 1, 2, 3, 4, 5, 5를 한 번씩 사용해서 만든 두 대분수의 합이 $5\frac{1}{5}$이 되는 대분수의 덧셈식을 써 보시오.

5 바구니에 무게가 같은 사과가 3개 들어 있었습니다. 무게를 달아 보니 $1\frac{2}{5}$ kg이 었습니다. 사과 2개를 꺼낸 후 무게를 달아 보니 $\frac{3}{5}$ kg이 되었습니다. 바구니만의 무게는 몇 kg입니까?

6 ★는 같은 수를 나타낼 때, ☐ 안에 알맞은 수를 구하시오.

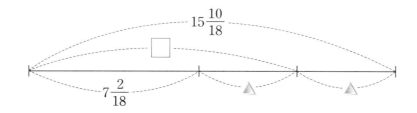

7 어떤 진분수의 분모와 분자의 합은 13이고, 차는 3입니다. 또 다른 어떤 가분수의 분모와 분자의 합은 23이고, 차는 7입니다. 두 분수의 합을 구하시오.

8 물병 ㉮와 ㉯에는 각각 $2\frac{1}{8}$ L, $4\frac{3}{8}$ L의 물이 들어 있습니다. 물병 ㉯에서 물병 ㉮로 물을 옮겨 담았더니 두 물병의 물의 양이 같아졌습니다. 물병 ㉯에서 물병 ㉮로 옮겨 담은 물의 양은 몇 L입니까?

9 다음과 같이 수를 규칙적으로 늘어놓을 때 30번째 수부터 40번째 수까지의 합을 구하시오.

$$1\frac{1}{8},\ 1\frac{3}{8},\ 1\frac{5}{8},\ 1\frac{7}{8},\ 2\frac{1}{8},\ 2\frac{3}{8},\ 2\frac{5}{8},\ 2\frac{7}{8},\ \cdots$$

10 □ 안에 공통으로 들어갈 수 있는 수를 모두 찾아 합을 구하면 얼마입니까?

$$4\frac{\square}{8}+5\frac{3}{8}<10\frac{1}{8} \qquad 3\frac{2}{9}+4\frac{\square}{9}<7\frac{7}{9}$$

11 하루에 $1\frac{1}{4}$분씩 빨라지는 시계가 있습니다. 10일 정오에 정확한 시계의 시각보다 5분 느리게 맞추어 놓았다면 이 시계가 처음으로 정확한 시각을 가리킨 때는 언제이겠습니까?

12 빈 통에 물을 가득 받는데 A 수도관으로는 1분에 통의 $\frac{1}{6}$씩 채울 수 있고, B 수도관으로는 3분에 통의 $\frac{3}{6}$씩 채울 수 있고, C 수도관으로는 6분에 통의 $\frac{3}{6}$씩 채울 수 있다고 합니다. A, B, C 세 수도관을 동시에 틀어 이 통에 물을 받는다면 2분 후에는 통에 물이 얼마나 차겠습니까?

13 길이가 $4\frac{1}{8}$ m인 막대가 있습니다. 이 막대를 연못의 바닥에 닿도록 넣었다가 꺼낸 후 다시 거꾸로 연못에 넣었다가 꺼냈습니다. 막대가 물에 젖지 않은 부분이 $\frac{7}{8}$ m였다면 연못의 깊이는 몇 m입니까? (단, 막대와 연못의 바닥이 닿았을 때 이루는 각도는 직각입니다.)

14 □ 안에 모두 같은 수가 들어간다고 할 때 □ 안에 알맞은 수는 얼마입니까?

$$\frac{2}{\square} + \frac{4}{\square} + \frac{6}{\square} + \cdots\cdots + \frac{\square-6}{\square} + \frac{\square-4}{\square} + \frac{\square-2}{\square} = 8$$

15 길이가 같은 색 테이프 7장을 $1\frac{3}{5}$ cm씩 겹쳐서 이어 붙였더니 전체 길이는 $74\frac{2}{5}$ cm였습니다. 색 테이프 1장의 길이는 몇 cm입니까?

16 ㉠과 ㉡은 서로 다른 자연수일 때, 다음 덧셈식을 성립시키는 (㉠, ㉡)은 모두 몇 가지입니까?

$$\frac{㉠}{10}+\frac{㉡}{10}=4$$

17 다음 식에서 ㉠＋㉡의 값이 16일 때 ㉠은 얼마입니까?

$$\frac{㉠}{7}+1\frac{4}{7}-\frac{㉡}{7}+\frac{㉠}{7}+1\frac{4}{7}-\frac{㉡}{7}+\frac{㉠}{7}+1\frac{4}{7}-\frac{㉡}{7}=9$$

18 바구니 안에 무게가 같은 음료수 병을 5개 담아 무게를 재어 보니 $7\frac{2}{5}$ kg이었습니다. 같은 바구니에 음료수 병을 3개 담아 무게를 재어 보니 5 kg이었습니다. 같은 바구니에 음료수 병을 2개 담아 무게를 재면 몇 kg이 되겠습니까?

19 □ 안에 10보다 작은 서로 다른 자연수를 넣어 계산하려고 합니다. 가장 큰 계산 결과를 ㉠, 가장 작은 계산 결과를 ㉡이라고 할 때, ㉠−㉡의 값을 구하시오.

$$\square\frac{4}{7}+\square\frac{1}{7}-\square\frac{6}{7}$$

20 다음의 가로줄, 세로줄, 대각선 줄에 있는 세 수의 합이 모두 같도록 할 때 ㉮에 알맞은 수를 구하시오.

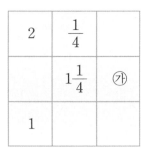

2	$\frac{1}{4}$	
	$1\frac{1}{4}$	㉮
1		

1 소수 두 자리 수

분수 $\frac{1}{100}$ 을 소수로 0.01이라 쓰고, 영점 영일이라고 읽습니다.

2 소수 세 자리 수

• 분수 $\frac{1}{1000}$ 을 소수로 0.001이라 쓰고, 영점 영영일이라고 읽습니다.

• 분수 $\frac{249}{1000}$ 를 소수로 0.249라 쓰고, 영점 이사구라고 읽습니다.

3 자릿값 알아보기

3.57에서 ┌ 3은 일의 자리 숫자이고 3을 나타냅니다.
├ 5는 소수 첫째 자리 숫자이고 0.5를 나타냅니다.
└ 7은 소수 둘째 자리 숫자이고 0.07을 나타냅니다.

4 소수 사이의 관계

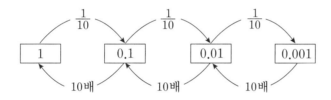

5 소수에서 끝 자리에 있는 0 생략하기

0.2와 0.20은 같은 수입니다. 따라서 0.20에서 끝 자리 숫자 0은 생략하여 나타낼 수 있습니다.

$$0.20 = 0.2$$

6 소수의 크기 비교

4.295 > 3.462	5.473 < 5.632
4>3	4<6
0.482 > 0.437	0.528 < 0.529
8>3	8<9

7 소수의 덧셈과 뺄셈

소수의 덧셈과 뺄셈은 자연수의 덧셈과 뺄셈과 같이 계산한 다음 소수점을 자리에 맞추어 찍습니다.

$\dfrac{1}{10}$이 35개, 0.01이 250개, 0.001이 720개인 수는 무엇입니까?

풀이

$\dfrac{1}{10}$은 0.1이므로 0.1이 35개이면 ☐ , 0.01이 250개이면 ☐ ,

0.001이 720개이면 ☐ 입니다.

따라서 ☐ + ☐ + ☐ = ☐ 입니다.　　　　　　　　답 ☐

EXERCISE 1

1. 0.1이 435개, 0.01이 5개, 0.001이 2350개인 수는 무엇입니까?

2. ☐ 안에 알맞은 수를 써넣으시오.

$40\dfrac{52}{1000}$는 10이 ☐ 개, 1이 ☐ 개, 0.1이 ☐ 개, 0.01이 ☐ 개, 0.001이 ☐ 개
인 수입니다.

3. 0.3이 5개, 0.5가 7개, 0.025가 10개인 수는 무엇입니까?

4. 0.105가 1000개, 2.35가 100개, 0.016이 10000개인 수는 무엇입니까?

한별이는 100m를 17.2초에 달렸고, 한솔이는 25m를 4.25초에 달렸습니다. 각각 같은 빠르기로 두 사람이 동시에 100m를 달린다면 누가 몇 초 더 빨리 달리겠습니까?

풀이

한솔이는 25 m를 달리는 데 4.25초 걸리므로 같은 빠르기로 100 m를 달리면

$\boxed{}+\boxed{}+\boxed{}+\boxed{}=\boxed{}$(초)가 걸립니다.

따라서 $\boxed{}$이는 $\boxed{}$이보다 $17.2-\boxed{}=\boxed{}$(초) 더 빨리 달립니다.

답 $\boxed{}$, $\boxed{}$초

EXERCISE 2

1 가영이는 동민이보다 8.6kg 더 무겁고, 웅이는 동민이보다 6.3kg 더 무겁습니다. 웅이는 가영이보다 몇 kg 더 가볍습니까?

2 둘레의 길이가 84 cm인 직사각형의 가로의 길이가 19.1 cm입니다. 세로의 길이는 가로의 길이보다 몇 cm 더 깁니까?

3 아버지의 몸무게는 아들의 몸무게의 $\frac{1}{2}$보다 40.5 kg 더 무겁고, 어머니의 몸무게의 $\frac{1}{4}$보다 50.9 kg 더 무겁습니다. 어머니의 몸무게가 60 kg이라면 아들의 몸무게는 몇 kg입니까?

1 0.1이 30개, 0.01이 120개, 0.001이 240개인 수는 무엇입니까?

2 ㉠의 숫자 2가 나타내는 수는 ㉡의 숫자 2가 나타내는 수의 몇 배입니까?

3 0.12578의 100배에서 0.12578의 10배를 뺀 수는 0.12578의 몇 배입니까?

4 0.42의 $\frac{1}{3}$과 4.2의 $\frac{1}{30}$과의 차는 얼마입니까? 또, 합은 얼마입니까?

5 가, 나, 다 세 수가 있습니다. 가와 나의 합은 8.6이고, 나와 다의 합은 13.3 이며, 가와 다의 합은 10.1입니다. 세 수 가, 나, 다의 합을 구하시오.

6 3.425보다 크고 3.5보다 작은 소수 중에서 소수 둘째 자리 숫자와 소수 셋째 자리 숫자의 합이 10이 되는 소수 세 자리 수는 모두 몇 개입니까?

7 1.25m의 테이프 6장을 0.01 m씩 겹쳐지게 연결하였을 때, 연결한 전체 길이는 몇 cm가 됩니까?

8 사과 한 상자의 무게는 15.83kg씩이고, 배 한 상자의 무게는 사과 한 상자의 무게보다 2.29kg이 더 무겁습니다. 사과 두 상자와 배 한 상자의 무게를 합하면 몇 kg입니까?

9   3이 5개, 0.001이 5개인 수보다 크고, $16\frac{3}{100}$ 보다 작은 소수 세 자리 수 중에서 가장 큰 수와 가장 작은 수의 차를 구하시오.

10   어떤 용수철이 있습니다. 이 용수철은 추 하나를 달 때마다 2.5 cm씩 더 늘어납니다. 똑같은 추 5개를 달고 용수철 전체의 길이를 재어 보니 17 cm였습니다. 처음 용수철의 길이는 몇 cm였습니까?

11   신영이는 18.24, 한별이는 9.08이 적혀 있는 카드를 가지고 있습니다. 또, 예슬이는 신영이와 한별이의 카드에 적혀 있는 수의 차에 두 배를 한 것보다 5.03이 작은 수의 카드를 가지고 있습니다. 세 사람이 가지고 있는 카드에 적혀 있는 수의 합은 얼마입니까?

12 0.1, 0.2, …, 0.6의 6개의 수를 ◯ 안에 써넣어 한 줄에 있는 세 수의 합이 1.2가 되게 하시오.

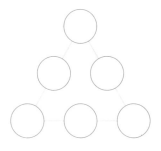

13 자동차의 연료통에 12.5 L의 휘발유가 들어 있습니다. 그중에서 휘발유를 8.43 L 사용한 다음 6.5 L를 넣었습니다. 연료통에 들어 있는 휘발유는 몇 L입니까?

14 어떤 수에서 2.73을 뺄 것을 잘못하여 27.3을 뺐더니 6.27이 되었습니다. 바르게 계산하면 얼마가 됩니까?

15 길이가 2.54 m인 빨간색 테이프 3개와 길이가 1.08 m인 파란색 테이프 2개가 있습니다. 이 테이프들을 모두 이으면 전체 길이는 몇 m가 됩니까?

(단, 이음매 부분 한 개의 길이는 0.01 m입니다.)

16 규형이의 보폭은 0.55 m입니다. 규형이가 집에서 서예 학원까지 가는 데 150걸음 걸었다면 집에서 서예 학원까지의 거리는 몇 m입니까?

17 동민이의 몸무게는 34.71 kg, 동생의 몸무게는 28.5 kg입니다. 아버지의 몸무게는 동민이와 동생의 몸무게의 합보다 1.91 kg이 더 가볍습니다. 세 사람의 몸무게의 합은 몇 kg입니까?

18 다음과 같은 벽면에 같은 크기의 액자 5개를 걸려고 합니다. 벽과 액자 사
이, 액자와 액자 사이의 거리가 모두 같다면 이 액자 하나의 가로의 길이는
몇 cm입니까?

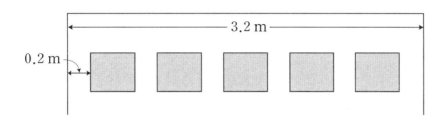

19 색 테이프를 10명이 똑같이 나누어 가졌더니 한 사람당 0.57 m씩 갖고
43 cm가 남았습니다. 처음 테이프의 길이는 몇 m였습니까?

20 신영이의 키는 123.5 cm입니다. 효근이의 키는 신영이보다 2.3 cm 더 크고 지
혜의 키는 효근이보다 0.25 cm 더 작다고 합니다. 지혜와 신영이의 키의 차는
몇 cm입니까?

1 가영이와 용희는 길이가 3.6m인 철사를 나누어 가졌습니다. 두 사람이 갖게 된 철사의 길이를 재어 보니 가영이가 0.54m 더 길었습니다. 두 사람이 가지고 있는 철사의 길이를 각각 구하시오.

2 교실의 게시판의 가로의 길이는 2.82m입니다. 여기에 가로의 길이가 0.42m 되는 그림을 5장 붙이려고 합니다. 게시판의 끝과 그림 사이, 그림과 그림 사이의 간격이 모두 같도록 할 때, 간격 하나의 길이를 몇 m로 하면 되겠습니까?

3 직사각형 모양의 꽃밭이 있습니다. 가로를 0.8m 더 짧게 하고, 세로를 0.35m 더 길게 하면 꽃밭의 둘레는 몇 m가 됩니까?

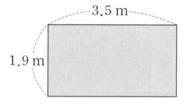

4 4.27+5.32+6.8+7.04+7.11에서 한 수의 소수점을 빠뜨리고 잘못 계산하여 727.5가 되었습니다. 소수점을 빠뜨린 수는 무엇입니까?

5 동민이의 몸무게는 석기보다 4.8kg, 한초보다 11.4kg이 더 무겁고, 예슬이의 몸무게는 한초보다 8.3kg이 더 무겁다면, 예슬이와 석기 중 누가 몇 kg이 더 무겁습니까?

6 다음을 계산하시오.

$$12.34+23.45+34.56+45.67+56.78+67.89+78.91+89.12+91.23$$

7 웅이가 $5\frac{6}{10}$ kg의 사과 상자를 들고 저울에 올라가 눈금을 보았더니 바늘이 38.7 kg을 가리켰습니다. 웅이가 4800 g의 가방을 메고 저울에 올라서면 저울의 눈금은 몇 kg을 가리키겠습니까?

8 6, 0, 5, 4의 숫자를 한 번씩만 사용하여 가장 작은 소수 세 자리 수를 만든 다음 그 수의 3배에 24.8을 더한 수를 구하시오.

9 어떤 소수와 그 소수의 소수점을 빠뜨린 자연수와의 차가 3720.42일 때 어떤 소수는 무엇입니까?

10 가, 나, 다, 라, 마의 5명이 수학경시대회 시험을 보았습니다. 그 결과 다, 라, 마 3명의 점수는 각각 61점, 73점, 82점이고 5명의 평균 점수는 73.2점입니다. 가, 다, 라, 마 4명의 평균 점수는 나, 다, 라, 마 4명의 평균 점수보다 8.5점이 더 높습니다. 이때, 가와 나의 점수는 각각 몇 점입니까?
(단, (평균)=(총점)÷(사람 수)입니다.)

11 참기름이 1.5 L 들어 있는 병의 무게가 2.3 kg이고, 이 병에서 0.7L의 참기름을 사용한 뒤 무게를 달았더니 1.39 kg이었습니다. 물음에 답하시오.

(1) 참기름 1 L의 무게는 몇 kg입니까?

(2) 병만의 무게는 몇 kg입니까?

12 보기 와 같은 규칙으로 계산하려고 합니다. ㉠과 ㉡에 알맞은 수의 차는 얼마입니까?

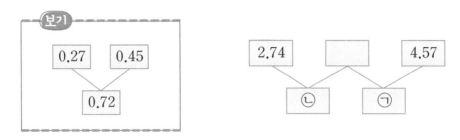

13 5.82와 5.92를 수직선에 나타낸 다음 두 수 사이를 100등분 하였습니다. 100등분하여 나타낸 수 중에서 가장 큰 수와 가장 작은 수를 찾아 두 수의 차를 구하면 얼마입니까?

14 수직선에 일정한 간격으로 4개의 소수 ㉠, ㉡, ㉢, ㉣을 늘어놓았습니다. ㉢, ㉣의 합은 ㉠, ㉡의 합보다 0.96이 크고 ㉠은 3.6이라고 할 때 ㉡＋㉣의 값은 얼마입니까?

15 다음과 같이 일정한 규칙에 따라 수를 늘어놓을 때 5번째 수와 100번째 수의 차를 구하시오.

| 0.28 | — | 1.52 | — | 2.76 | — | 4 | — | | ······ |

16 다음 계산에서 ㉠, ㉡, ㉢, ㉣에 알맞은 숫자를 찾아 ㉠+㉡+㉢+㉣의 값을 구하면 얼마입니까? (단, ㉠, ㉡, ㉢, ㉣은 서로 다른 숫자입니다.)

$$
\begin{array}{r}
㉠㉡.㉢㉣ \\
+\ ㉠㉡.㉣㉢ \\
\hline
7\ ㉠.㉣㉠
\end{array}
$$

17 쌀 0.4g 속에는 0.024g의 단백질이 들어 있다고 합니다. 쌀 4.5kg 속에는 몇 g의 단백질이 들어 있겠습니까?

18 오른쪽 소수의 덧셈에서 각 문자는 서로 다른 숫자를 나타내고 있습니다. ㄹㅁㅁ.ㄷ은 어떤 수입니까?

$$\begin{array}{r} ㄱ.ㄴ \\ + ㄷㄱ.ㄹ \\ \hline ㄹㅁㅁ.ㄷ \end{array}$$

19 한초네 학년 학생들의 평균 키는 1.39 m 였는데 각각의 키가 1.47 m, 1.36 m, 1.48 m, 1.55 m, 1.52 m인 5명이 전학을 와서 평균 키가 1.4 m가 되었습니다. 5명이 전학을 오기 전 한초네 학년 학생 수는 몇 명이었습니까? (단, (평균 키)＝(키의 총합)÷(학생 수)입니다.)

20 오른쪽 그림은 가, 나, 다, 라, 마 역 사이의 거리를 나타낸 것입니다. 예를 들면, ★은 가역에서 다역까지의 거리 0.85＋0.74입니다. 물음에 답하시오.

(1) 다 역에서 라 역까지의 거리는 얼마입니까?

(2) 라 역에서 마 역까지의 거리는 얼마입니까?

가				
0.85	나			
★	0.74	다		
2.03			라	
		1.07		마

(단위 : km)

거꾸로 생각하기

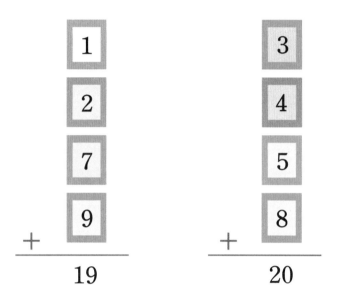

숫자 1, 2, 3, 4, 5, 7, 8, 9가 적혀 있는 숫자 카드 8장을 위와 같이 배열하였습니다. 이 숫자 카드 중 2개만 움직여서 양쪽 줄에 있는 수의 합이 같게 만들어 보시오.

숫자 9를 움직여 6을 만들어 한 쪽자 카드 8과 바꾸면 풀이 18로 같아집니다.

Ⅱ 도형과 측정

APPLICATION

응용왕수학

1 각도

각의 크기를 각도라고 합니다. 각도를 나타내는 단위는 1직각과 1도가 있습니다. 1직각을 똑같이 90으로 나눈 하나를 1도라 하고, $1°$라고 씁니다.

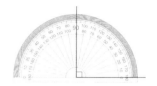

1직각$=90°$

2 예각, 직각, 둔각

$90°$인 각을 직각, $90°$보다 작은 각을 예각, $90°$보다 크고 $180°$보다 작은 각을 둔각이라고 합니다.

3 각도의 합과 차

• 각도의 합 구하기

$45°+35°=80°$

• 각도의 차 구하기

$55°-35°=20°$

4 삼각형과 사각형에서의 각의 크기

• 삼각형의 세 각의 크기의 합은 $180°$입니다.
• 사각형의 네 각의 크기의 합은 $360°$입니다.

5 수직

두 직선이 만나서 이루는 각이 직각일 때, 두 직선은 서로 수직이라고 합니다.
두 직선이 수직일 때, 한 직선을 다른 직선에 대한 수선이라고 합니다.

6 평행선

한 직선에 수직인 두 직선을 그으면, 두 직선은 서로 만나지 않습니다. 이와 같이, 서로 만나지 않는 두 직선을 평행이라고 합니다.
평행인 두 직선을 평행선이라고 합니다.

7 평행선의 성질

• 평행선 사이의 선분 중에서 수직인 선분의 길이가 가장 짧고, 그 선분의 길이는 모두 같습니다.
• 평행선 사이의 수직인 선분의 길이를 평행선 사이의 거리라고 합니다.
• 평행선과 한 직선이 만날 때 생기는 같은쪽의 각의 크기는 같습니다.
• 평행선과 한 직선이 만날 때 생기는 반대쪽의 각의 크기는 같습니다.

Search 탐구

오른쪽 그림에서 각 ㄴㄷㄹ의 크기를 구하시오.

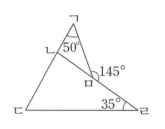

풀이

(각 ㄱㅁㄴ)=180°－$\boxed{}$°＝$\boxed{}$°

삼각형의 세 각의 크기의 합은 $\boxed{}$°이므로

(각 ㄱㄴㅁ)＝180°－50°－$\boxed{}$°＝$\boxed{}$°

(각 ㄷㄴㅁ)＝180°－$\boxed{}$°＝$\boxed{}$°

따라서 각 ㄴㄷㄹ의 크기는 180°－35°－$\boxed{}$°＝$\boxed{}$°입니다.   답 $\boxed{}$°

EXERCISE 1

1 오른쪽 그림과 같이 직사각형 모양의 종이를 접었습니다. 각 ㉠과 각 ㉡의 크기를 각각 구하시오.

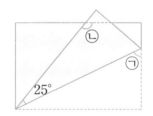

2 오른쪽 그림에서 각 ㄷㅁㄹ의 크기를 구하시오.

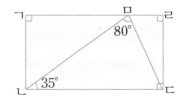

오른쪽 그림에서 직선 가와 나는 서로 평행합니다.
각 ㉠과 각 ㉡의 크기의 차를 구하시오.

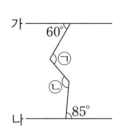

풀이

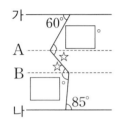

왼쪽 그림과 같이 가와 나에 평행한 보조선 A와 B를
그어 생각하면 됩니다.

(각 ㉠)=□°+☆, (각 ㉡)=□°+☆이므로

각 ㉠과 각 ㉡의 크기의 차는

□°+☆−(□°+☆)=□°입니다.

답 □°

EXERCISE 2

1 오른쪽 그림에서 각 ㉠은 몇 도입니까?
(단, 직선 가와 나는 서로 평행합니다.)

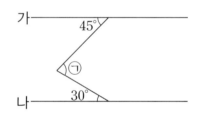

2 직선 도로가 오른쪽과 같이 교차되어 있습니
다. 각 ㉠과 각 ㉡의 크기를 각각 구하시오.

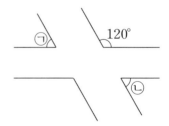

왕 문제

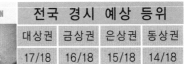
1 오른쪽 그림에서 직선 가와 나, 직선 다와 라는 각각 서로 평행합니다. 각 ㉠과 각 ㉡의 크기를 각각 구하시오.

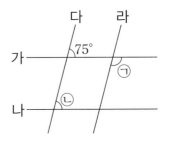

2 오른쪽 그림에서 직선 가, 나, 다는 서로 평행하고, 직선 라와 마도 서로 평행합니다. 각 ㉠과 각 ㉡의 크기를 각각 구하시오.

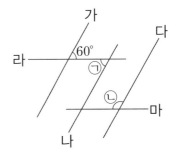

3 오른쪽 그림에서 직선 가와 나가 서로 평행할 때, 각 ㉠과 각 ㉡의 크기를 각각 구하시오.

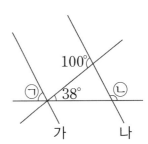

4   오른쪽 그림에서 직선 가와 나, 직선 다와 라와 마는
    각각 서로 평행합니다. 각 ㉠과 각 ㉡의 크기를 각각
    구하시오.

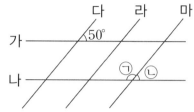

5   직선 가와 나는 서로 평행합니다. 각 ㉠, 각 ㉡, 각 ㉢의 크기를 각각 구하시오.

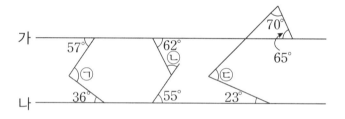

6   오른쪽 그림은 직사각형 모양의 종이 띠를 접은 것입니
    다. 각 ㄱㄴㄷ의 크기를 구하시오.

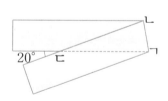

7 직사각형 모양의 종이를 오른쪽 그림과 같이 접었을 때, 각 ㉠의 크기를 구하시오.

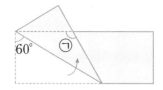

8 오른쪽 그림에서 각 ㉠, 각 ㉡, 각 ㉢의 크기의 합을 구하시오.

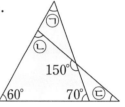

9 오른쪽 도형에서 각 ㉠의 크기를 구하시오.

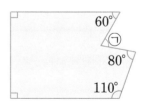

10 오른쪽 그림에서 ☐ 안에 들어갈 각의 크기를 구하시오.

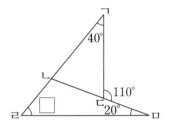

11 오른쪽 그림과 같이 직사각형 모양의 종이를 반으로 접었습니다. 각 ㄹㄱㅁ의 크기가 28°일 때, 각 ㄷㅁㄹ의 크기를 구하시오.

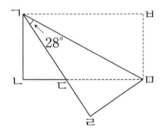

12 오른쪽 도형에서 각 ㄷㄹㅁ의 크기를 구하시오.

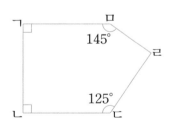

13 오른쪽 그림에서 직선 가와 나는 서로 평행합니다. 각 ㉠의 크기를 구하시오.

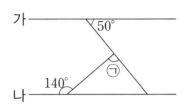

14 삼각형의 세 각의 크기가 다음과 같은 관계일 때, 세 각의 크기를 각각 구하시오.

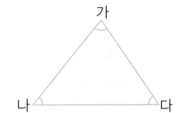

> • 각 가 > 각 다 > 각 나
> • 각 나는 각 다보다 5° 작습니다.
> • 각 가는 각 다보다 20° 큽니다.

15 오른쪽 그림에서 ☐ 안에 알맞은 수를 써넣으시오.

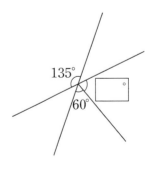

16 오른쪽 도형에서 각 ㉠의 크기를 구하시오.

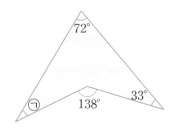

17 오른쪽 도형에서 각 ㉮와 각 ㉯의 크기의 차는 몇
도입니까?

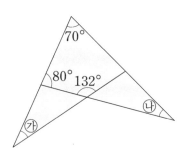

18 오른쪽 그림에서 각 ㉠의 크기를 구하시오.

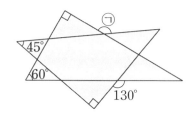

1 오른쪽 그림에서 각 ㉠의 크기를 구하시오.

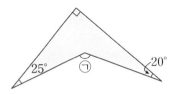

2 오른쪽 그림에서 표시된 각 ㉠, 각 ㉡, 각 ㉢의 크기를 각각 구하시오.

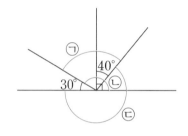

3 오른쪽 그림은 180°인 각을 크기가 같은 각 8 개로 나눈 것입니다. 이 도형에서 찾을 수 있는 모든 예각을 ㉠개, 모든 둔각을 ㉡개라고 할 때, ㉠−㉡은 얼마입니까?

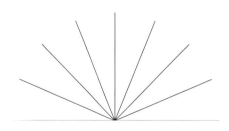

4 오른쪽 그림에서 직선 가와 나가 서로 평행할 때, 각 ㄷㄹㅁ의 크기를 구하시오.

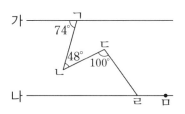

5 오른쪽 그림에서 각 ㄱㄴㅂ과 각 ㅂㄴㄹ의 크기는 같고, 각 ㄴㄱㄷ의 크기는 78°, 각 ㄱㄴㄷ의 크기는 60°일 때, 각 ㄹㄱㄷ의 크기와 각 ㄴㅂㄹ의 크기의 합은 몇 도입니까?

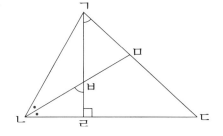

6 오른쪽 그림에서 직선 가와 나가 서로 평행하고, 각 ㄱㄹㄴ은 각 ㄴㄹㄷ의 3배일 때, 각 ㄹㄴㄷ의 크기를 구하시오.

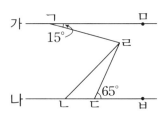

7 직선 가와 나가 서로 평행할 때, 각 ㉠의 크기를 구하시오.

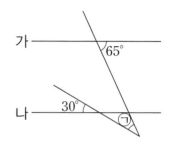

8 오른쪽 그림에서 직선 가와 나가 서로 평행할 때, 각 ㄴㄷㄹ의 크기를 구하시오.

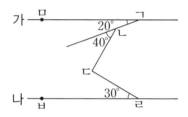

9 오른쪽 그림에서 선분 ㄱㄹ, 선분 ㄴㅁ은 각각 각 ㄴㄱㄷ, 각 ㄱㄴㄷ을 이등분 한 선입니다. 각 ㄱㄹ ㄷ과 각 ㄴㅁㄷ의 크기의 합을 구하시오.

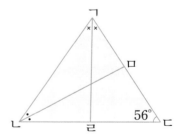

10 오른쪽 그림은 삼각형 모양의 종이를 접은 것입니다. 물음에 답하시오.

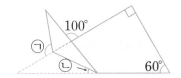

(1) 각 ㉠의 크기를 구하시오.

(2) 각 ㉡의 크기를 구하시오.

11 오른쪽 그림에서 직선 ㄱㄴ과 직선 ㅁㅂ이 서로 평행할 때, 각 ㉠의 크기를 구하시오.

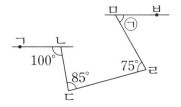

12 오른쪽 그림에서 직선 가와 나가 서로 평행할 때, 각 ㉠, 각 ㉡, 각 ㉢, 각 ㉣의 크기의 합을 구하시오.

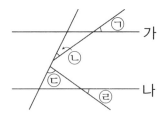

13 오른쪽 그림은 직사각형 모양의 종이를 접은 것입니다. 각 ㉠과 각 ㉡의 크기의 합을 구하시오.

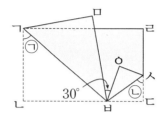

14 오른쪽 그림에서 각 ㉠의 크기를 구하시오. (단, 기호가 같은 각의 크기는 모두 같습니다.)

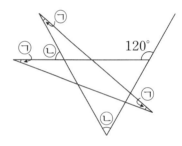

15 오른쪽 삼각형 ㄱㄴㄷ에서 각 ㄱㄴㄷ과 각 ㄱㄷㄴ을 각각 이등분 한 선이 만나는 점을 점 ㄹ이라고 합니다. 각 ㄴㄹㄷ의 크기를 구하시오.

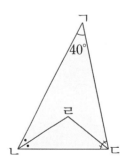

16 오른쪽 그림에서 각 ㉠~각 ㉧의 크기의 합을 구하시오.

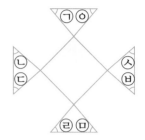

17 오른쪽 그림에서 선분 ㄱㄹ과 선분 ㄴㄷ은 평행하고 선분 ㄱㅁ, 선분 ㄴㅁ이 각각 각 ㄴㄱㄹ, 각 ㄱㄴㄷ을 이등분 한 선일 때, 각 ㄱㅁㄴ의 크기를 구하시오.

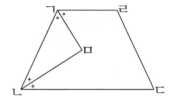

18 그림에서 선분 ㄱㄴ과 선분 ㄷㄹ은 서로 평행합니다. 각 ㄷ의 크기를 구하시오.

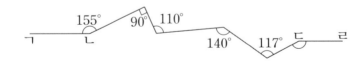

1 이등변삼각형과 정삼각형

- 두 변의 길이가 같은 삼각형을 이등변삼각형이라고 합니다.
- 이등변삼각형은 길이가 같은 두 변과 함께하는 두 각의 크기가 같습니다.

- 세 변의 길이가 같은 삼각형을 정삼각형이라고 합니다.
- 정삼각형은 세 각의 크기가 같습니다.

2 한 변의 길이가 3 cm인 정삼각형 그리기

길이가 3 cm인 선분을 그립니다.

한 끝점에서 반지름의 길이가 3 cm인 원의 일부분을 그립니다.

다른 끝점에서 반지름의 길이가 3 cm인 원의 일부분을 그립니다.

두 원이 만난 점과 선분을 이어 삼각형을 그립니다.

3 예각삼각형과 둔각삼각형

- 세 각이 모두 예각인 삼각형을 예각삼각형이라고 합니다.
- 한 각이 둔각인 삼각형을 둔각삼각형이라고 합니다.

예각삼각형 둔각삼각형

4 변의 길이와 각의 크기에 따라 삼각형을 분류하기

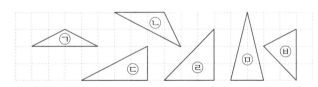

	예각삼각형	둔각삼각형	직각삼각형
이등변삼각형	ㅁ	ㄱ	ㄹ
세 변의 길이가 모두 다른 삼각형	ㅂ	ㄴ	ㄷ

오른쪽 그림과 같이 원 위에 일정한 간격으로 12개의 점이 놓여 있습니다. 이 점들 중 2개의 점과 원의 중심을 이어 삼각형을 그릴 때 그릴 수 있는 예각삼각형과 둔각삼각형은 모두 몇 개입니까?

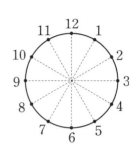

풀이

- 한 칸짜리 예각삼각형은 ☐개, 두 칸짜리 예각삼각형은 ☐개이므로
그릴 수 있는 예각삼각형은 ☐＋☐＝☐(개)입니다.

- 네 칸짜리 둔각삼각형은 ☐개, 다섯 칸짜리 둔각삼각형은 ☐개이므로
그릴 수 있는 둔각삼각형은 ☐＋☐＝☐(개)입니다.

따라서 그릴 수 있는 예각삼각형과 둔각삼각형은 모두 ☐＋☐＝☐(개)입니다.

답 ☐개

EXERCISE

1 직각삼각형 ㄱㄴㄷ 안에 4개의 선을 그은 것입니다. 이 도형에서 찾을 수 있는 크고 작은 예각삼각형의 개수를 ㉠, 직각삼각형의 개수를 ㉡, 둔각삼각형의 개수를 ㉢이라고 할 때 ㉠＋㉢－㉡의 값을 구하시오.

2 다음은 어느 예각삼각형의 두 각의 크기를 나타낸 것입니다. ★이 될 수 있는 자연수 중에서 가장 작은 수를 구하시오.

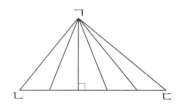

$62°$, $★°$

1 오른쪽 삼각형 ㄱㄴㄷ에서 변 ㄴㄷ의 가운데를 점 ㄹ 이라고 할 때, 선분 ㄱㄹ과 선분 ㄴㄹ의 길이가 같으면, 삼각형 ㄱㄴㄷ은 어떤 삼각형이 됩니까?

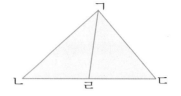

2 오른쪽 그림에서 원 안의 정삼각형의 넓이는 원 바깥의 정삼각형의 넓이의 몇 분의 몇입니까?

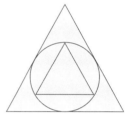

3 오른쪽과 같이 원 안에 하나의 삼각형이 만나고 있습니다. 이때, (각 ㉠)+(각 ㉡)+(각 ㉢)을 구하시오.

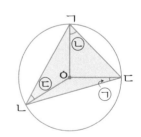

4 오른쪽 그림과 같이 선분 ㄱㅁ, 선분 ㅁㄹ, 선분 ㅁ
ㄷ의 길이가 같을 때, 각 ㅁㄹㄷ의 크기를 구하시
오.

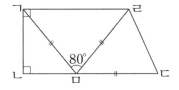

5 다음 도형에서 삼각형 ㄱㄴㅁ은 이등변삼각형이고, 사각형 ㄴㄷㄹㅁ은 정
사각형입니다. 변 ㄱㄴ의 길이가 49 cm이고, 이등변삼각형의 둘레의 길이
가 126 cm일 때, 도형 전체의 둘레의 길이는 몇 cm입니까?

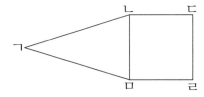

6 다음과 같은 삼각자를 이용하여 보기 와 같이 각 ㉮와 각 ㉯를 만들 수 있
습니다. 즉, 각 ㉮는 주어진 두 각의 합을, 각 ㉯는 주어진 두 각의 차를 이
용한 것입니다. 이와 같은 방법으로 삼각자 2개를 이용하여 만들 수 있는
가장 큰 둔각과 가장 작은 예각의 차는 몇 도입니까?

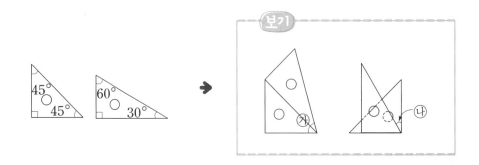

7 사각형 ㄱㄴㄷㄹ은 정사각형이고, 삼각형 ㄱㄴㅁ은 정삼각형입니다. 이때, 각 ㄴㄹㅁ의 크기는 몇 도입니까?

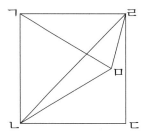

8 오른쪽 도형에는 크고 작은 삼각형이 몇 개 있습니까?

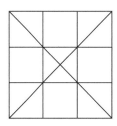

9 다음과 같은 방법으로 길이가 3 cm인 정삼각형 8개를 이어 붙였을 때, 이어 붙인 도형의 둘레의 길이를 구하시오.

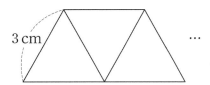

3 cm

10 삼각형 ㄱㄴㄹ과 삼각형 ㄹㄴㄷ은 이등변삼각형입니다. 이 두 삼각형을 다음과 같이 붙여 놓았을 때, 각 ㄱㄴㄹ의 크기를 구하시오.

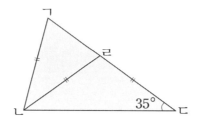

11 철사를 이용하여 오른쪽 그림과 같은 이등변삼각형을 만들었습니다. 이 이등변삼각형에 사용된 철사를 남김없이 모두 사용하여 한 변의 길이가 4 cm인 정삼각형을 여러 개 만들려고 합니다. 만들 수 있는 정삼각형은 모두 몇 개입니까?

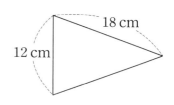

12 이등변삼각형 ㄱㄴㄷ과 정삼각형 ㄱㄷㄹ을 붙여 놓았습니다. 각 ㄱㄴㄷ의 크기는 몇 도입니까?

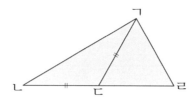

13 다음 그림은 원 안에 원의 지름을 한 변으로 갖는 삼각형 ㄱㄴㄷ을 그린 것입니다. 각 ㉮의 크기를 구하시오.

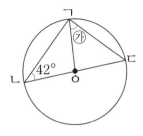

14 다음 그림에서 선분 ㄱㄴ과 선분 ㄱㄷ의 길이가 같고, 선분 ㄱㄹ과 선분 ㄹㄷ의 길이가 같습니다. 각 ㉮의 크기를 구하시오.

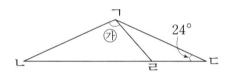

15 다음 그림은 정사각형과 정삼각형을 붙여 놓은 모양입니다. 각 ㉮와 각 ㉯의 크기를 각각 구하시오.

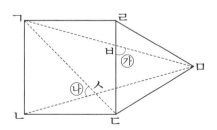

16 오른쪽 그림과 같이 ㉠, ㉡, ㉢, ㉣, ㉤ 5개의 삼각형은 모두 크기가 같은 이등변삼각형입니다. 선을 따라 그릴 수 있는 둔각삼각형은 모두 몇 개입니까?

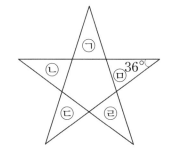

17 오른쪽 그림에서 삼각형 ㄱㄷㄹ의 둘레의 길이는 몇 cm입니까?

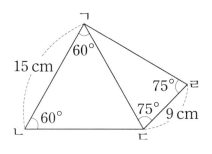

18 원 위에 일정한 간격으로 5개의 점이 있습니다. 5개의 점 중에서 3개를 이어 만들 수 있는 삼각형은 모두 몇 개입니까?

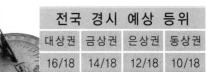
1 오른쪽 삼각형 ㄱㄴㄷ에서 각 ㄴ, 각 ㄷ의 삼등분선의 교점을 점 ㄹ, 점 ㅁ이라 합니다. 각 ㄴㄱㄷ이 60°일 때, 각 ㄴㅁㄷ의 크기를 구하시오.

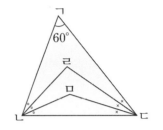

2 오른쪽 그림은 변 ㄱㄴ, 변 ㄱㄷ의 길이가 같은 이등변 삼각형 ㄱㄴㄷ을 접은 것입니다. 각 ㉠의 크기를 구하시오.

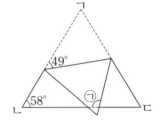

3 이등변삼각형 ㄱㄴㄷ을 그림과 같이 선분 ㄱㄹ과 선분 ㄹㅂ의 길이가 같아지도록 접었을 때 각 ㄱㅁㄷ의 크기는 몇 도입니까?

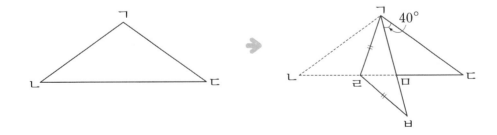

4 오른쪽 도형에는 크고 작은 정삼각형이 모두 몇 개 있는지 구하시오.

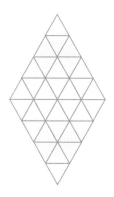

5 오른쪽 그림과 같이 점과 점 사이의 간격은 일정합니다. 점과 점을 이어서 만들 수 있는 크고 작은 정삼각형은 모두 몇 개입니까?

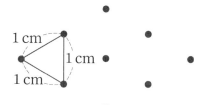

6 오른쪽 그림과 같이 원의 일부분을 잘라낸 도형이 있습니다. 선분 ㄱㄷ의 길이는 몇 cm입니까?

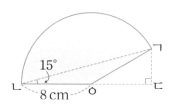

7 오른쪽 그림에서 각 ㉠의 크기를 구하시오.

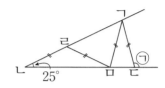

8 오른쪽 삼각형 ㄱㄴㄷ은 이등변삼각형이고, 삼각형 ㄱㄷㄹ은 정삼각형일 때, 각 ㉠의 크기를 구하시오.

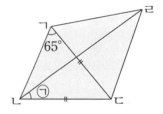

9 오른쪽 그림은 직각삼각형 ㄱㄴㄷ을 꼭짓점 ㄷ을 고정시키고 화살표 방향으로 이동시킨 것입니다. 선분 ㄴㄷ과 선분 ㄹㅁ이 서로 평행할 때, 삼각형 ㄹㄴㄷ은 어떤 삼각형이 됩니까?

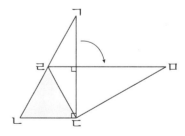

10 오른쪽 그림의 사각형 ㄱㄴㄷㄹ은 정사각형이고, 삼각형 ㄱㅁㄹ은 정삼각형입니다. 각 ㄴㅁㄷ의 크기를 구하시오.

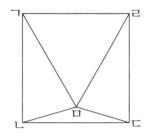

11 오른쪽 그림의 사각형 ㄱㄴㄷㄹ에서 변 ㄱㄴ, 변 ㄴㄷ, 변 ㄱㄹ의 길이가 서로 같고, 각 ㄹㄱㄴ의 크기가 150°, 각 ㄱㄴㄷ의 크기가 60°일 때, 각 ㄷㄹㄴ의 크기는 몇 도입니까?

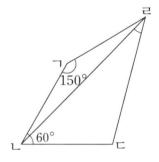

12 오른쪽과 같이 원 위에 일정한 간격으로 6개의 점이 찍혀 있습니다. 이 점들 중에서 3개의 점을 연결하여 삼각형을 만들 때, 이등변삼각형이 아닌 삼각형은 이등변삼각형보다 몇 개 더 많습니까?

13 크기가 같은 두 정사각형을 오른쪽 그림과 같이 겹쳐 놓았습니다. 각 ㅂㄴㄷ의 크기는 몇 도입니까?

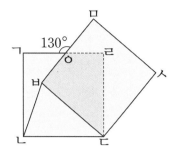

14 길이가 1 cm부터 9 cm까지의 막대가 1개씩 있습니다. 이 막대를 겹치지 않게 이어 붙여 정삼각형을 만들려고 할 때 크기가 서로 다른 정삼각형은 모두 몇 가지를 만들 수 있습니까?

15 정사각형 10개를 그린 후 대각선 4개를 그린 그림입니다. 그림에서 찾을 수 있는 크고 작은 둔각삼각형은 모두 몇 개입니까?

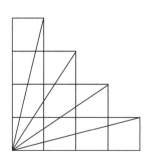

16 다음 (보기)는 9개의 점으로 된 3×3 마름모형 점판 위에 점들을 이어서 이등변삼각형을 그린 것입니다. 4×4 마름모형 점판 위에 점들을 이어서 그릴 수 있는 서로 다른 모양의 이등변삼각형 중 3×3 점판 위에서 그릴 수 없는 것들은 몇 가지입니까?(단, 점판에서 이웃하는 점들 사이의 거리는 같습니다.)

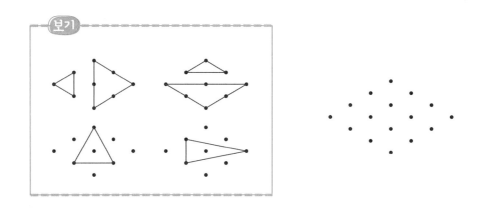

17 이등변삼각형의 각 변의 길이는 자연수이고 세 변의 길이의 합은 30 cm 입니다. 그릴 수 있는 이등변삼각형은 모두 몇 가지입니까?

18 (보기1)과 같이 각을 이루는 선분이 3개일 때 예각은 2개입니다. 또 (보기2)와 같이 각을 이루는 선분이 4개일 때, 예각은 5개입니다. 각을 이루는 선분의 개수가 10개일 때, 찾을 수 있는 예각은 모두 몇 개입니까?

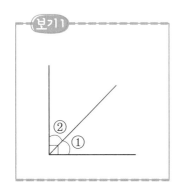
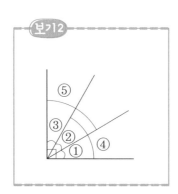
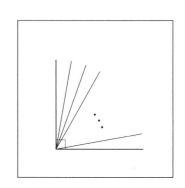

1 사다리꼴

- 평행한 변이 한 쌍이라도 있는 사각형을 사다리꼴이라고 합니다.
- 마주 보는 두 쌍의 변이 평행한 사각형도 사다리꼴입니다.

2 평행사변형

- 마주 보는 두 쌍의 변이 서로 평행한 사각형을 평행사변형이라고 합니다.
- 마주 보는 변의 길이가 같고, 마주 보는 각의 크기가 같습니다.
- 이웃하는 두 각의 합은 $180°$입니다.
- 모양과 크기가 같은 삼각형 2개로 나누어집니다.

3 마름모

- 네 변의 길이가 모두 같은 사각형을 마름모라고 합니다.
- 마주 보는 두 쌍의 변이 서로 평행하고 마주 보는 각의 크기가 같습니다.
- 대각선은 서로 수직이등분됩니다.
- 이웃하는 두 각의 합은 $180°$입니다.

4 다각형과 정다각형

- 선분으로만 둘러싸인 도형을 다각형이라고 하고, 변의 길이가 모두 같고 각의 크기가 모두 같은 다각형을 정다각형이라고 합니다.
- 다각형의 변의 수에 따라 변이 3개이면 삼각형, 4개이면 사각형, 5개이면 오각형, … 등으로 부릅니다.
- 정다각형의 변의 수에 따라 변이 3개이면 정삼각형, 4개이면 정사각형, 5개이면 정오각형, … 등으로 부릅니다.

5 대각선

- 다각형에서 선분 ㄱㄷ, 선분 ㄴㄹ과 같이 이웃하지 않는 두 꼭짓점을 이은 선분을 대각선이라고 합니다.
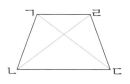
- 두 대각선의 길이가 같은 사각형 :
  정사각형, 직사각형, 등변사다리꼴 등
- 두 대각선이 서로 수직이등분 하는 사각형 : 마름모, 정사각형
- 두 대각선의 길이가 같고 서로 수직이등분 하는 사각형 : 정사각형
- □각형의 대각선의 개수 ➡ □×(□−3)÷2

다음과 같은 특징을 모두 가진 사각형의 이름을 쓰시오.

> ㉠ 네 변의 길이가 같습니다.
> ㉡ 마주 보는 두 쌍의 변이 서로 평행합니다.
> ㉢ 두 대각선의 길이가 같습니다.
> ㉣ 두 대각선이 서로 수직으로 만납니다.

풀이

각 조건을 만족하는 사각형을 찾아보면

㉠ 네 변의 길이가 같은 사각형은 [ ]와 [ ]입니다.

㉡ 마주 보는 두 쌍의 변이 서로 평행한 사각형은 [ ], [ ], [ ],

[ ]입니다.

㉢ 두 대각선의 길이가 같은 사각형은 [ ]과 [ ]입니다.

㉣ 두 대각선이 서로 수직으로 만나는 사각형은 [ ]와 [ ]입니다.

위의 네 가지 조건을 모두 만족시키는 사각형은 [ ]입니다.   **답** [ ]

EXERCISE 1

1. 오른쪽 그림은 평행사변형 ㄱㄴㄷㄹ과 마름모 ㅁㅂ
ㄷㄹ을 겹쳐서 그린 도형입니다. 변 ㄱㅂ과 변 ㅁㅂ
의 길이가 같을 때 도형 ㄱㄴㄷㄹㅁㅂ의 둘레는 몇
cm입니까?

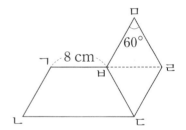

2. 같은 크기의 직사각형 모양의 종이 두 장을 겹칠 때, 겹쳐진 부분에서 얻을
수 <u>없는</u> 도형은 무엇인지 모두 고르시오.

① 직사각형   ② 정사각형   ③ 마름모   ④ 평행사변형

⑤ 사다리꼴   ⑥ 정삼각형   ⑦ 직각삼각형   ⑧ 둔각삼각형

오른쪽 도형에서 대각선의 개수를 구하시오.

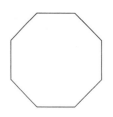

풀이

각 꼭짓점에서 대각선을 그을 수 있는 방법은 자기 꼭짓점과 바로 왼쪽의 꼭짓점과 바로 오른쪽의 꼭짓점을 제외한 모든 꼭짓점에 그을 수 있습니다. 한 꼭짓점에서의 대각선의 개수는 □−□=□(개)이므로 생각할 수 있는 모든 대각선의 개수는 □×□=□(개)이지만 중복되는 경우가 있으므로 그을 수 있는 대각선은 □÷2=□(개)입니다.　　**답** □개

참고

(대각선의 개수)＝(꼭짓점의 수)×{(꼭짓점의 수)−3}÷2

EXERCISE 2

1. 도형 중 대각선이 직각으로 만나는 것을 모두 고르시오.

① 직사각형　　　② 평행사변형　　　③ 마름모
④ 사다리꼴　　　⑤ 정사각형

2. 대각선의 개수가 35개인 도형은 무슨 도형입니까?

3. 도형 중에서 반으로 접었을 때 완전히 포개어지지 <u>않는</u> 도형은 어느 것입니까?

① 　② 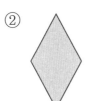　③ 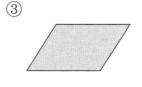　④ 　⑤

1 오른쪽 그림은 여러 가지 사각형 사이의 포함 관계를 나타낸 것입니다. 가, 나에 알맞은 이름은 각각 무엇입니까?

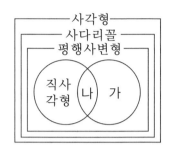

2 오른쪽 마름모 ㄱㄴㄷㄹ에서 선분 ㄱㄷ과 선분 ㄹㅁ, 선분 ㄴㄹ과 선분 ㄷㅁ이 각각 평행할 때, 사각형 ㅇㄷㅁㄹ은 어떤 도형이 됩니까?

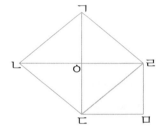

3 오른쪽 도형에서 찾을 수 있는 크고 작은 사각형의 개수는 모두 몇 개입니까?

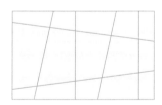

4 정다각형의 한 각의 크기를 구하시오.

(1) 정삼각형   (2) 정십각형

5 오른쪽 그림의 평행사변형 ㄱㄴㄷㄹ에서 선분 ㄴㅁ 과 선분 ㄹㅂ의 길이가 같으면 사각형 ㄱㅁㄷㅂ은 어 떤 도형이 됩니까?

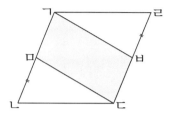

6 한 변이 12 cm인 정사각형을 네 개 붙여 놓았습니다. ㉠과 ㉡의 길이의 합을 구하시오.

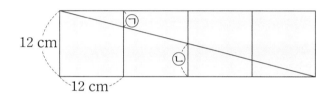

7 길이가 10 cm인 나무 막대 4개로 사각형을 만들 때, 대각선의 길이를 알아 보려고 합니다. ㉠과 ㉡에 알맞은 수를 구하시오.

> 대각선의 길이는 ㉠ cm보다 길고 ㉡ cm보다 짧습니다.

8 오른쪽 그림은 정사각형 ㄱㄴㄷㄹ과 변 ㄷㅁ, 변 ㅁㅂ 의 길이가 같은 평행사변형 ㄹㄷㅁㅂ입니다. 각 ㅁㄴ ㄷ의 크기를 구하시오.

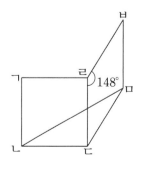

9 오른쪽 사다리꼴 ㄱㄴㄷㄹ에서 변 ㄱㄹ과 변 ㄴㄷ은 평행하고, 변 ㄱㄴ, 변 ㄱㄹ, 변 ㄹㄷ은 모두 변 ㄴㄷ 의 길이의 $\frac{1}{2}$ 입니다. 각 ㄱㄴㄷ의 크기를 구하시오.

10 오른쪽 그림과 같이 각각의 한 변의 길이가 6 cm인 정 삼각형과 정사각형을 이어 붙여 만든 모양의 둘레의 길이를 구하시오.

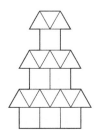

11 오른쪽 그림은 크기가 같은 정사각형으로 이루어 져 있습니다. 이 그림에서 찾을 수 있는 크고 작은 정사각형은 모두 몇 개입니까?

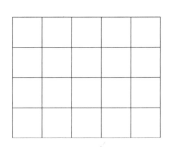

12 정사각형 ㄱㄴㄷㄹ의 각 변의 3등분 점을 연결한 사
각형은 어떤 도형이 됩니까?

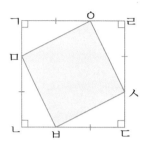

13 오른쪽 그림에서 찾을 수 있는 크고 작은 사다리꼴은
모두 몇 개입니까?

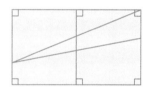

14 오른쪽 도형은 정오각형입니다. 각 ㉠, 각 ㉡의 크기를
각각 구하시오.

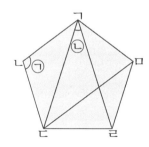

15 정십이각형과 정이십사각형의 대각선의 개수의 합을 구하시오.

16 각 ㄱㄹㄷ의 크기가 70°인 평행사변형 모양의 종이 ㄱㄴㄷㄹ을 오른쪽 그림과 같이 접었습니다. 선분 ㅇㅅ과 선분 ㄴㅂ이 평행할 때, 각 ㅁㅂㅅ의 크기를 구하시오.

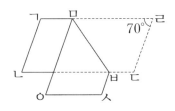

17 오른쪽 그림은 평행사변형 모양의 종이를 접은 것입니다. 물음에 답하시오.

(1) 각 ㉠의 크기를 구하시오.

(2) 각 ㉡의 크기를 구하시오.

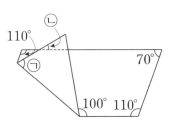

18 오른쪽 그림에서 사각형 ㄱㄴㄷㄹ은 평행사변형이고, 선분 ㅅㅇ과 선분 ㄹㄷ은 서로 평행합니다. 이 그림에서 찾을 수 있는 크고 작은 사다리꼴의 개수를 △개, 평행사변형의 개수를 □개라 할 때, △+□의 값은 얼마입니까?

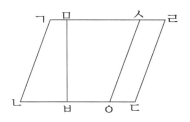

19 오른쪽 그림의 세 점을 꼭짓점으로 하고, 나머지 한 점을 더 찍어서 평행사변형을 만들려고 합니다. 만들 수 있는 평행사변형은 모두 몇 개입니까?

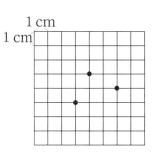

20 사각형 ㄱㄴㄷㄹ은 평행사변형입니다. 평행사변형 ㄱㄴㄷㄹ의 네 변의 길이의 합은 몇 cm입니까?

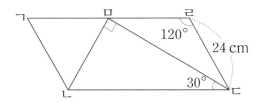

1 오른쪽 그림에서 (각 ㉠)~(각 ㉒)의 합을 구하시오.

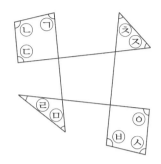

2 오른쪽 평행사변형 ㄱㄴㄷㄹ에서 각 ㄱㄴㄷ, 각 ㄱㄹ ㄷ의 이등분선이 변 ㄱㄹ, 변 ㄴㄷ과 만나는 점을 점 ㅁ, 점 ㅂ이라고 하면 사각형 ㅁㄴㅂㄹ은 어떤 도형 이 됩니까?

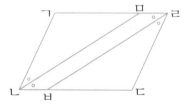

3 오른쪽 그림에서 각 ㉠의 크기를 구하시오.

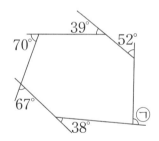

4 정육각형의 6개의 각의 합을 ㉮라 하고, 정팔각형의 8개의 각의 합을 ㉯라 할 때 ㉯-㉮의 값을 구하시오.

5 오른쪽 그림은 정사각형 8개로 이루어진 도형입니다. 이 도형을 두 번 잘라서 잘려진 도형을 모두 사용하여 하나의 정사각형을 만드시오.

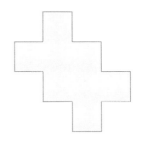

6 각 ㄱㄴㄷ과 각 ㄹㄷㄴ의 크기가 같은 오른쪽 사다리꼴 ㄱㄴㄷㄹ에서 각 ㄱㄴㄹ은 각 ㄹㄴㄷ의 크기와 같습니다. 각 ㄹㄱㄴ의 크기를 구하시오.

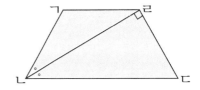

7 오른쪽 그림은 어떤 정다각형의 일부와 직선이 만나서 생긴 각도를 나타낸 것입니다. 이 정다각형의 이름을 쓰시오.

8 오른쪽 도형은 정육각형입니다. 이 도형에는 크고 작은 사다리꼴이 몇 개 있습니까?

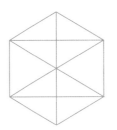

9 오른쪽 도형은 한 변의 길이가 1 cm인 정삼각형이 붙어 있는 것을 나타낸 것입니다. 크고 작은 사다리꼴은 몇 개 있습니까?

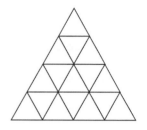

10 오른쪽 그림에서 삼각형 ㄱㄴㄷ은 정삼각형이고, 사각형 ㄴㄹㅁㄷ은 마름모이며, 선분 ㄱㄹ은 꼭짓점 ㄱ과 ㄹ을 이은 것입니다. 각 ㉮의 크기는 몇 도입니까?

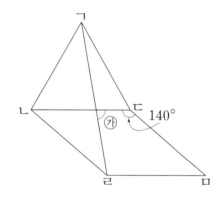

11 오른쪽 그림에는 크고 작은 직사각형이 몇 개 있습니까?

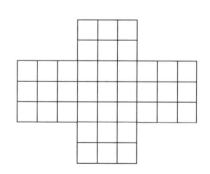

12 정사각형 ㄱㄴㄷㄹ의 두 대각선이 만나는 점을 점 ㅁ이라고 하고, 각 ㄴㄱㄷ의 이등분선과 대각선 ㄴㄹ, 변 ㄴㄷ과의 교점을 각각 점 ㅂ, 점 ㅅ이라고 합니다. 또, 점 ㅁ을 지나고 변 ㄴㄷ에 평행한 선분을 선분 ㅇㅁ이라고 합니다. 물음에 답하시오.

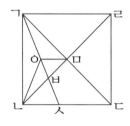

(1) 각 ㄴㅂㅅ의 크기를 구하시오.

(2) 정사각형 ㄱㄴㄷㄹ 안에 크기가 다른 이등변삼각형은 모두 몇 종류가 있습니까?

13 오른쪽 그림은 원 안에 정오각형 ㄱㄴㄷㄹㅁ을 그린 것입니다. 각 ㉮의 크기를 구하시오.

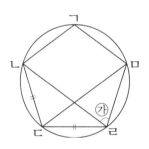

14 사각형 ㄱㄴㄷㄹ은 마름모입니다. 다음과 같이 마름모를 접어서 각 ㄴㄱㅁ과 각 ㅁㄱㅇ의 크기를 같게 만들었습니다. 각 ㉮의 크기를 구하시오.

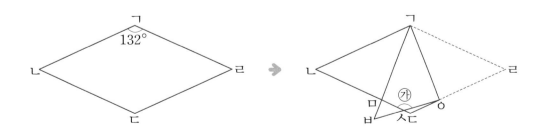

15 오른쪽은 작은 정사각형으로 이루어져 있는 도형 위에 15개의 점을 찍은 것입니다. 이 점들을 네 꼭짓점으로 연결하여 만들 수 있는 크고 작은 정사각형은 모두 몇 개입니까?

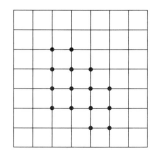

16 다음 그림에서 찾을 수 있는 크고 작은 사각형은 모두 몇 개입니까?

17 삼각형, 사각형, 오각형, …과 같은 도형을 다각형이라고 합니다. 오른쪽 그림과 같이 육각형의 한 꼭짓점에서만 그을 수 있는 대각선을 모두 그으면 삼각형 4개, 사각형 3개, 오각형 2개가 만들어져서 육각형 1개를 포함하여 다각형은 모두 10개가 됩니다. 이와 같은 방법으로 이십사각형의 한 꼭짓점에서만 대각선을 모두 그으면 다각형은 모두 몇 개가 됩니까?

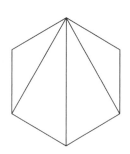

18 그림과 같이 크기가 같은 평행사변형 5개를 붙여 놓고 각각의 평행사변형에 대각선을 그었습니다. 찾을 수 있는 크고 작은 평행사변형은 모두 몇 개입니까?

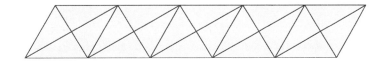

19 정사각형 3개를 오른쪽 그림과 같이 겹쳐 놓았습니다. ㉠의 각도는 몇 도입니까?

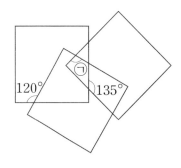

20 그림과 같이 성냥개비 33개를 사용하여 만든 모양에서 찾을 수 있는 크고 작은 평행사변형은 모두 몇 개입니까?

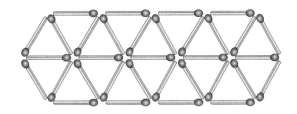

1 평면도형 밀기

주어진 도형을 여러 방향으로 밀면
① 도형의 모양과 크기가 변하지 않습니다.
② 미는 방향에 따라 도형의 위치만 변합니다.

2 평면도형 뒤집기

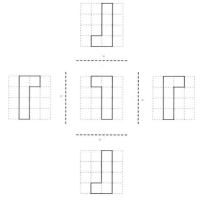

- 가운데 도형을 오른쪽이나 왼쪽으로 뒤집으면 도형의 오른쪽 부분은 왼쪽으로, 왼쪽 부분은 오른쪽으로 바뀝니다.
  ➡ 왼쪽으로 뒤집은 모양은 오른쪽으로 뒤집은 모양과 서로 같습니다.
- 가운데 도형을 위쪽이나 아래쪽으로 뒤집으면 도형의 위쪽 부분은 아래쪽으로, 아래쪽 부분은 위쪽으로 바뀝니다.
  ➡ 위쪽으로 뒤집은 모양은 아래쪽으로 뒤집은 모양과 서로 같습니다.

3 평면도형 돌리기

- 도형을 ⤵ 방향으로 계속 돌리면 도형의 위쪽이 오른쪽 → 아래쪽 → 왼쪽 → 위쪽으로 바뀝니다.

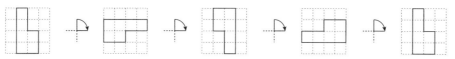

- 도형을 ⤹ 방향으로 계속 돌리면 도형의 위쪽이 왼쪽 → 아래쪽 → 오른쪽 → 위쪽으로 바뀝니다.

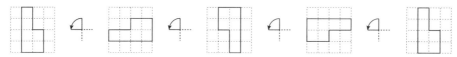

4 규칙적인 무늬 만들기

기본 도형 ⌐ 로 밀기, 뒤집기, 돌리기의 방법을 사용하여 여러 가지 규칙적인 무늬를 만들 수 있습니다.

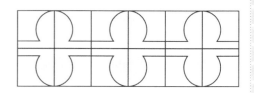

Ｓearch 탐구

도형을 오른쪽으로 13번 뒤집기한 후 시계 방향으로 90°만큼 9번 돌렸을 때의 모양을 그려 보시오.

풀이

- 도형을 오른쪽으로 2번, 4번, …… 뒤집으면 처음 모양과 같아지므로 도형을 오른쪽으로 13번 뒤집은 모양은 오른쪽으로 □번 뒤집은 모양과 같습니다.

- 도형을 시계 방향으로 90°만큼 4번 돌리면 처음 모양과 같아지므로 시계 방향으로 90°만큼 9번 돌린 모양은 시계 방향으로 90°만큼 □번 돌린 모양과 같습니다.

답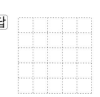

EXERCISE

1 어떤 도형을 시계 반대 방향으로 90°만큼 돌린 뒤 아래쪽으로 뒤집은 모양입니다. 처음 도형을 그려 보시오.

2 도형을 오른쪽으로 9번 뒤집은 뒤 시계 반대 방향으로 180°만큼 돌린 모양을 그려 보시오.

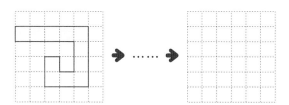

1 도형을 시계 방향으로 180°만큼 2번 돌렸을 때의 모양을 그려 보시오.

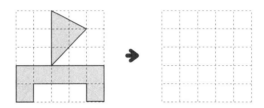

2 도형을 시계 반대 방향으로 90°만큼 6번 돌린 모양을 가운데에 그리고, 가운데 도형을 다시 시계 방향으로 90°만큼 돌렸을 때의 모양을 오른쪽에 그려 보시오.

3 도형을 점선을 기준으로 뒤집었을 때의 모양을 그려보시오.

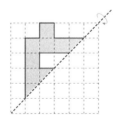

4 다음 무늬 중 뒤집기 했을 때의 무늬와 시계 방향으로 90°만큼 돌리기 했을 때의 무늬가 서로 일치하지 <u>않는</u> 것은 어느 것입니까?

①   ②   ③

④   ⑤

5 ㉠을 ㉡으로 옮길 수 있는 방법을 모두 찾아 주어진 점수들을 모두 더하면 얼마입니까?

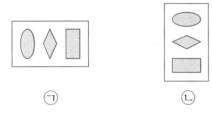

㉠   ㉡

- 오른쪽으로 90° 돌리기 (1점)   · 왼쪽으로 90° 돌리기 (2점)
- 오른쪽으로 180° 돌리기 (4점) · 왼쪽으로 180° 돌리기 (8점)
- 오른쪽으로 뒤집은 후 왼쪽으로 90° 돌리기 (16점)

6 ㉠ 안에 들어갈 모양은 어느 것입니까?

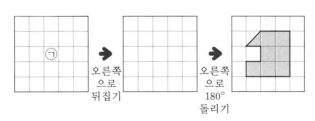

① 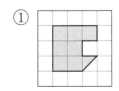 ② 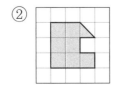 ③ 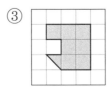 ④ 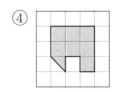 ⑤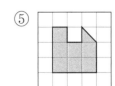

7 도형을 오른쪽으로 세 번 뒤집은 후 시계 방향으로 180°씩 3번 돌린 모양을 그려 보시오.

8 투명 종이 위에 <와 같은 그림을 그리고 보기와 같이 화살표 방향으로 뒤집기를 한 번씩 하려고 합니다. ㉠에 알맞은 모양은 어느 것입니까?

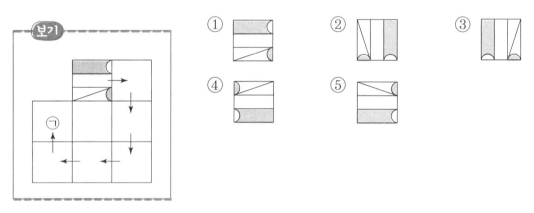

9 투명 종이 위에 도형 A(와 같은 모양을 그린 후 화살표 방향으로 주어진 방법처럼 도형을 움직였습니다. 도형 A를 밀어서 서로 겹치는 모양은 몇 번 면에 나타나겠습니까?

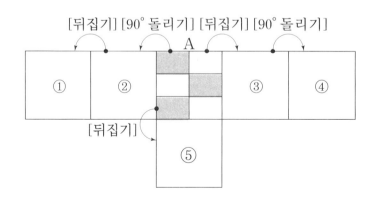

[뒤집기] [90° 돌리기] [뒤집기] [90° 돌리기]

[뒤집기]

10 오른쪽과 같은 모양을 시계 반대 방향으로 180°만큼 돌린 다음 오른쪽으로 계속해서 두 번 뒤집으면, 어떤 모양입니까?

①   ②   ③   ④   ⑤

11 도형을 오른쪽으로 6번 뒤집은 뒤 시계 반대 방향으로 90°만큼 6번 돌렸을 때의 모양을 그려 보시오.

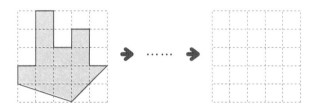

12 다음은 어떤 식을 시계 방향으로 180°만큼 돌렸을 때의 모양입니다. 돌리기 전의 식을 계산한 값은 얼마입니까?

13 왼쪽 도형을 시계 반대 방향으로 270°만큼 □번 돌린 후 아래쪽으로 뒤집었더니 오른쪽과 같은 모양이 되었습니다. □ 안에 들어갈 수 있는 가장 작은 수는 얼마입니까?

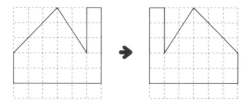

14 왼쪽 도형을 위쪽으로 3번, 왼쪽으로 1번 뒤집고 시계 반대 방향으로 얼마만큼 돌렸을 때 오른쪽 모양이 생깁니까?

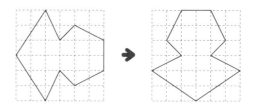

15 왼쪽 도형을 시계 반대 방향으로 □°만큼 돌린 후 오른쪽으로 뒤집었더니 오른쪽과 같은 모양이 되었습니다. □ 안에 들어갈 수 있는 가장 작은 수는 얼마입니까?

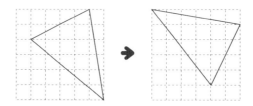

16 왼쪽 도형이 오른쪽 도형이 되도록 움직이는 방법을 모두 찾아 기호를 쓰시오.

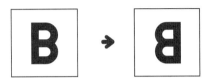

> ㉠ 왼쪽 도형을 아래쪽으로 1번 뒤집기 한 것입니다.
> ㉡ 왼쪽 도형을 오른쪽으로 3번 뒤집기 한 것입니다.
> ㉢ 왼쪽 도형을 시계 방향으로 180°만큼 돌리기 한 것입니다.
> ㉣ 왼쪽 도형을 시계 방향으로 90°만큼 돌리기 한 것입니다.

17 수 카드를 시계 방향으로 180°만큼 돌려서 생긴 수와 아래로 뒤집기 하여 생긴 수의 차를 구하시오.

18 왼쪽 종이를 오른쪽으로 3번 뒤집은 후 두 종이를 밀어서 꼭 맞게 겹쳐 놓았을 때 색칠된 칸의 점의 수는 모두 몇 개입니까?

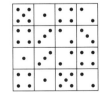 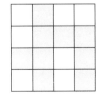

1 왼쪽 도형을 오른쪽으로 3번 뒤집은 후  방향으로 5번 돌렸더니 오른쪽과 같은 모양이 되었습니다. 처음 도형을 왼쪽에 그려 보시오.

다음 도형을 보고 물음에 답하시오. (2~3)

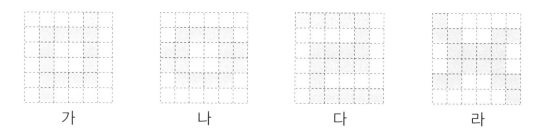

가   나   다   라

2 위의 도형을 오른쪽으로 95번 뒤집고, 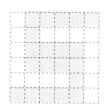 방향으로 38번 돌리기 했을 때, 처음 도형과 서로 같아지는 것을 찾아 기호를 쓰시오.

3 도형 다를 오른쪽으로 14번 뒤집기 ➡ 방향으로 □번 돌리기 ➡ 위쪽으로 15번 뒤집기 ➡ 방향으로 1번 돌리기 했더니 오른쪽과 같은 모양이 되었습니다. □ 안에 들어갈 수를 가장 작은 수부터 4개만 쓰시오.

4 4개의 세 자리 수를 투명 종이에 쓴 것입니다. 여러 방향으로 뒤집거나 돌려서 나올 수 있는 수 중에서 가장 큰 수와 가장 작은 수의 차를 구하시오.

5 왼쪽 도형을 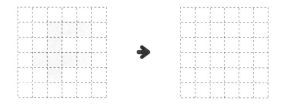 방향으로 27번 돌린 후, 오른쪽으로 51번 뒤집었을 때 생기는 모양을 그려 보시오.

6 보기 와 같은 규칙으로 다음 도형을 움직였을 때, 생기는 모양을 그려 보시오.

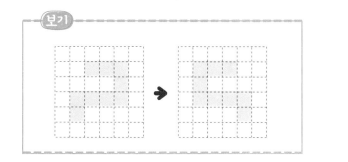

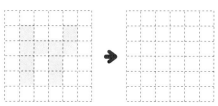

7 다음 6장의 숫자 카드 중에서 3장을 뽑아 세 자리 수를 만들려고 합니다. 이 때 만들 수 있는 가장 큰 세 자리 수와 가장 작은 세 자리 수를 각각 아래쪽으로 뒤집었을 때 생기는 두 수의 차는 얼마입니까?

8 오른쪽 그림은 어떤 식의 오른쪽에서 거울을 비추었을 때, 거울 속에 비친 모양입니다. 실제의 식을 계산한 값을 구하시오.

9 다음은 어떤 글자 위에 거울을 세우고 여러 방향으로 거울을 비추어 만들어진 모양입니다. 종이 위에 있는 글자는 무엇입니까?

10 정사각형 ㄱㄴㄷㄹ을 화살표 방향을 따라 차례로 뒤집기를 한 그림입니다. 이때, 정사각형 ㄱㄴㄷㄹ에 있는 9자와 똑같은 모양은 몇 번 면에 나타나겠습니까?

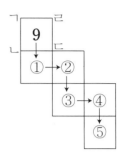

11 ㉮를 뒤집어 가면서 그림과 같은 무늬를 만들려고 합니다. 원이 21개 만들어지게 하려면 최소한 몇 번을 뒤집어서 무늬를 만들어야 합니까?

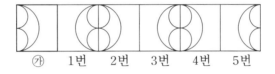

12 다음과 같이 검은색 타일을 규칙적으로 늘어놓으려고 합니다. 셋째 번에 사용되는 검은색 타일은 모두 몇 개입니까?

첫째 번   둘째 번   셋째 번   넷째 번

13 [그림 1]과 [그림 2]는 크기가 같은 49개의 작은 정사각형을 변과 변이 꼭 일치하도록 붙여 큰 정사각형을 만든 것입니다.

[그림 1]

1	2	3	4	5	6	7
8	9	10	11	12	13	14
15	16	17	18	19	20	21
22	23	24	25	26	27	28
29	30	31	32	33	34	35
36	37	38	39	40	41	42
43	44	45	46	47	48	49

[그림 2]

[그림 1]을 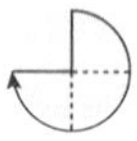 방향으로 몇 번 돌린 후 [그림 2]에 포개었습니다. ♥와 ◑에 겹쳐지는 수의 곱이 가장 클 때는 얼마입니까?

14 투명 종이 위에 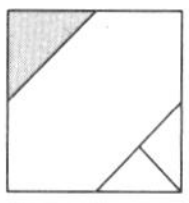 와 같은 그림을 그리고, 오른쪽, 아래쪽, 오른쪽, 위쪽, 왼쪽 방향의 순서대로 뒤집기를 한 번씩 하였을 때 생기는 모양은 어느 것입니까?

① ② 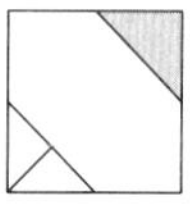 ③

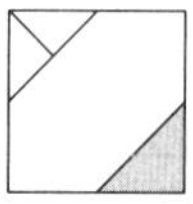

④ ⑤

15 도형을 왼쪽으로 ☐번, 위쪽으로 ☐번, 아래쪽으로 ☐번 뒤집은 후 시계 방향으로 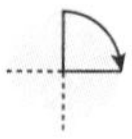 만큼 ☐번 돌리면 처음 모양과 같아집니다. 100보다 작은 수 중에서 ☐ 안에 공통으로 들어갈 수 있는 수를 모두 찾아 합을 구하면 얼마입니까?

16 오른쪽 종이를 왼쪽으로 5번 뒤집고, 시계 방향으로 90°만큼 7번 돌린 후 두 종이를 밀어서 꼭 맞게 겹쳐 놓았을 때 색칠한 칸의 점의 수와 색칠하지 않은 칸의 점의 수의 차는 몇 개입니까?

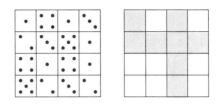

17 모눈종이 위에 그려진 그림 ㉮가 있습니다. ㉮를 위쪽으로 3번 뒤집었을 때의 그림을 ㉯, ㉯를 시계 반대 방향으로 90°만큼 돌렸을 때의 그림을 ㉰라고 합니다. ㉮, ㉯, ㉰를 모양과 크기가 같은 하나의 모눈종이 위에 그렸을 때 한 번도 색칠되지 않은 칸은 모두 몇 칸입니까?

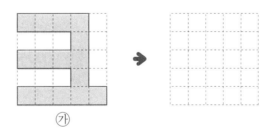

㉮

18 왼쪽과 같은 타일 2장을 이용하여 오른쪽 빈칸에 만들 수 있는 서로 다른 무늬는 몇 가지입니까? (단, 돌리거나 뒤집었을 때 모양이 같은 것은 한 가지로 생각합니다.)

테이블 덮개

어머니께서 새 테이블을 사 오셨는데 테이블 덮개를 그만 깜박 잊고 사 오시지 않았습니다. 그래서 집에 있는 똑같은 크기의 정사각형 모양의 덮개 8장을 그림처럼 새 테이블 위에 꼭맞게 깔아놓았습니다. 영수는 새 테이블에 앉아 주스를 마시는 동안 어머니께서 그 덮개들을 어떤 순서로 깔았는지 궁금했습니다. 덮개는 어떤 순서로 깔렸을까요?

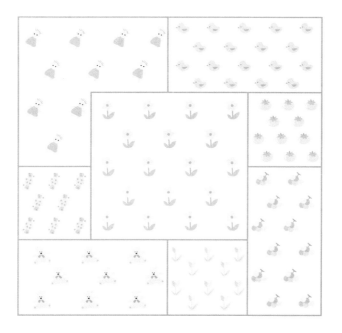

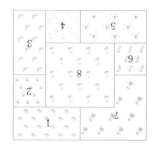

자료와 가능성

APPLICATION

응 용 왕 수 학

1 막대그래프 알아보기

좋아하는 과일별 학생 수

과일	사과	배	귤	포도	합계
학생 수(명)	8	4	3	14	29

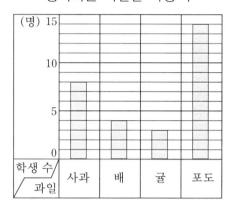

좋아하는 과일별 학생 수

- 조사한 자료를 막대로 나타낸 그래프를 막대그래프라고 합니다.
- 위 그래프에서 가로는 과일의 종류를 나타냈고 세로는 학생 수를 나타냈습니다.
- 학생들이 가장 많이 좋아하는 과일부터 차례로 쓰면 포도, 사과, 배, 귤입니다.
- 포도를 좋아하는 학생은 사과를 좋아하는 학생보다 6명 더 많습니다.

2 막대그래프 그리기

(1) 가로와 세로 중에서 조사한 수를 어느 쪽에 나타낼 것인지를 정합니다.
(2) 조사한 수 중에서 가장 큰 수까지 나타낼 수 있도록 눈금 한 칸의 크기를 정한 후, 눈금의 수를 정합니다.
(3) 조사한 수에 맞도록 막대를 그립니다.
(4) 그린 막대그래프에 알맞은 제목을 붙입니다.

좋아하는 과목별 학생 수

과목	미술	체육	수학	합계
학생 수(명)	3	5	4	12

좋아하는 과목별 학생 수

① 가로 : 과목, 세로 : 학생 수
② 세로 눈금 한 칸의 크기 : 1명
　　최소 세로 눈금의 칸 수 : 5칸
③ 막대 그리기
④ 제목 : 좋아하는 과목별 학생 수

오른쪽 막대그래프는 석기와 친구들이 가지고 있는 게임 프로그램 수를 조사하여 나타낸 것입니다. 물음에 답하시오.

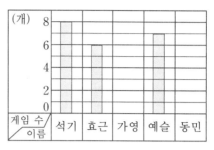

게임 프로그램의 수

(1) 5명이 가지고 있는 게임 프로그램 수는 36개이고, 동민이는 가영이보다 3개를 더 많이 가지고 있습니다. 가영이는 몇 개의 게임 프로그램을 가지고 있습니까?

(2) 게임 프로그램을 가장 많이 가지고 있는 사람은 누구입니까?

풀이

(1) 가영이와 동민이가 가지고 있는 프로그램의 수는 36−(□+□+□)=□ (개)입니다. 가영이는 동민이보다 3개가 더 적으므로 가영이가 가지고 있는 프로그램의 수는 (□−3)÷2=□(개)입니다.

(2) 동민이가 가지고 있는 프로그램의 수는 □−□=□(개)이므로 □이가 가장 많이 가지고 있습니다.

답 (1) □개 (2) □

EXERCISE

오른쪽 막대그래프는 석기와 친구들이 가지고 있는 인형의 수를 나타낸 것입니다. 물음에 답하시오. (1~3)

인형의 수

석기					
효근					
한초					
가영					

1 한 눈금이 3개를 나타낸다면 석기, 효근, 한초, 가영이가 가지고 있는 인형의 수는 각각 몇 개입니까?

2 한 눈금이 4개를 나타낸다면 가장 긴 막대는 몇 개를 나타냅니까?

3 한 눈금이 5개를 나타낸다면 전체 인형의 개수는 몇 개입니까?

막대그래프는 지난 한 달 동안 석기네 학교의 4학년 결석생 수를 조사하여 나타낸 것입니다. 물음에 답하시오. (1~4)

반별 결석생 수

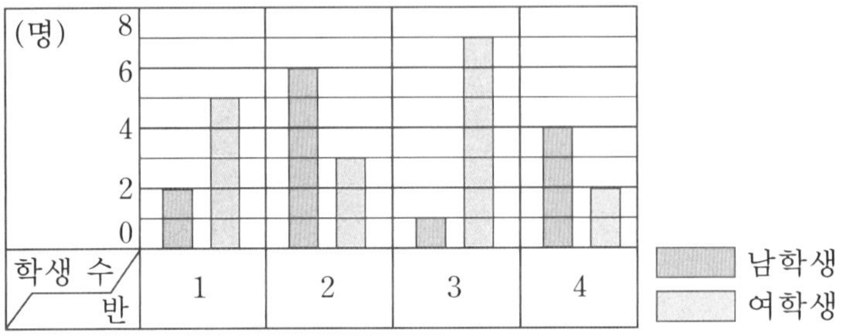

1 결석한 남학생 수가 가장 적은 반은 어느 반입니까?

2 위의 막대그래프를 표로 나타내시오.

반별 결석생 수　　　　　(단위 : 명)

구분 ＼ 반	1	2	3	4	합계
남학생					
여학생					
합계					

3 지난 한 달 동안 결석한 학생 수가 가장 많은 반은 어느 반입니까?

4 지난 한 달 동안 결석한 4학년 학생은 모두 몇 명입니까?

막대그래프는 가영이가 일주일 동안 책을 읽은 시간을 나타낸 것입니다. 수요일에 책을 읽은 시간은 월요일에 책을 읽은 시간의 $\frac{1}{2}$일 때, 물음에 답하시오. (5~8)

책을 읽은 시간

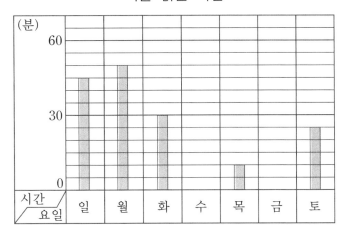

5 그래프에서 작은 세로 눈금 한 칸은 몇 분을 나타냅니까?

6 수요일에 책을 읽은 시간은 몇 분입니까?

7 일주일 동안 가영이는 3시간 30분 동안 책을 읽었습니다. 금요일에 책을 읽은 시간은 몇 분입니까?

8 책을 읽은 시간이 가장 긴 요일과 가장 짧은 요일의 시간의 차는 몇 분입니까?

● 그래프는 집에서 학교까지의 거리를 나타낸 것입니다. 물음에 답하시오. (9～11)

집에서 학교까지의 거리

이름 \ 거리	0	500	1000	1500	2000 (m)
효근					
한초					
용희					
동민					

9 효근이네 집에서 학교까지의 거리와 동민이네 집에서 학교까지의 거리의 차는 몇 km 몇 m입니까?

10 한초네 집에서 학교까지의 거리는 동민이네 집에서 학교까지의 거리의 몇 배입니까?

11 용희는 4분에 300 m를 걷습니다. 걸어서 오전 8시에 학교에 도착하려면 용희는 집에서 몇 시 몇 분에 출발해야 합니까?

오른쪽 막대그래프는 4학년 학생들이 수학경시대회에서 상을 탄 학생 수를 반별로 나타낸 것입니다. 물음에 답하시오.
(12~13)

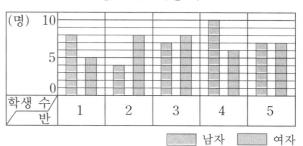

상을 탄 학생 수

12 가장 많은 학생들이 상을 탄 반과 가장 적은 학생들이 상을 탄 반의 학생 수의 차를 구하시오.

13 상을 탄 전체 학생 수는 몇 명입니까?

오른쪽 막대그래프는 석기네 학교 4학년에 지난 한 해 동안 전학 온 학생 수를 반별로 조사하여 나타낸 것입니다. 4학년에 전학 온 전체 학생 수가 75명일 때, 물음에 답하시오. (14~15)

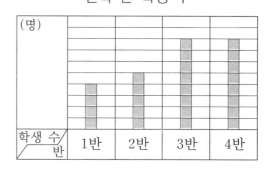

전학 온 학생 수

14 그래프에서 세로 눈금 1칸은 몇 명을 나타냅니까?

15 그래프를 보고 다음 표를 완성하시오.

전학 온 학생 수

반	1	2	3	4	합계
학생 수(명)					

막대그래프는 용희네 모둠 학생들의 한 달 용돈을 나타낸 것입니다. 물음에 답하시오. (16～19)

한 달 용돈

이름 \ 용돈	0	1000	2000	3000	4000	5000	6000 (원)
용희							
석기							
영수							
한초							
한솔							

16 가로의 작은 눈금 한 칸은 얼마를 나타냅니까?

17 한 달 용돈이 4000원보다 많은 학생의 이름을 모두 쓰시오.

18 용돈이 가장 많은 순서대로 이름을 쓰시오.

19 막대그래프를 보고 다음 표를 완성하시오.

한 달 용돈

이름	용희	석기	영수	한초	한솔	합계
용돈(원)						

20 학생 45명이 가장 좋아하는 음식을 조사하여 나타낸 표와 막대그래프입니다. 떡국을 좋아하는 학생은 몇 명입니까?

좋아하는 음식별 학생 수

음식	떡국	짜장면	피자	떡볶이
학생 수(명)		11		15

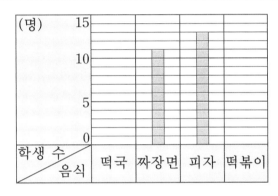

21 하루 동안 집 앞을 지나간 차의 종류를 조사하여 나타낸 표입니다. 이 표를 보고 막대그래프를 그릴 때, 눈금 한 칸을 5대로 나타낸다면 적어도 눈금 몇 칸이 필요합니까? (단, 차의 종류를 나타내는 한 칸에 오전과 오후를 각각 분리하여 그래프에 나타냅니다.)

하루 동안 집 앞을 지나간 차의 종류

시간 \ 종류	승용차	버스	택시	트럭
오전(대)	85	40	70	15
오후(대)	95	55	65	30

22 학생들이 가장 좋아하는 과일을 조사하여 나타낸 표입니다. 막대그래프의 눈금 한 칸을 3 mm로 나타낸다면, 학생 수가 가장 많은 과일과 가장 적은 과일의 막대의 길이의 차는 몇 cm가 되겠습니까? (단, 눈금 한 칸은 한 명을 나타냅니다.)

좋아하는 과일별 학생 수

과일	수박	참외	딸기	포도	합계
학생 수(명)	22	8	13		60

1 영수가 지난주에 책을 읽은 시간을 조사하여 나타낸 막대그래프입니다. 영수가 금요일에 책을 읽은 시간은 화요일과 목요일에 책을 읽은 시간의 합의 $\frac{2}{9}$ 만큼입니다. 금요일에 책을 읽은 시간은 몇 분입니까?

요일별 책을 읽은 시간

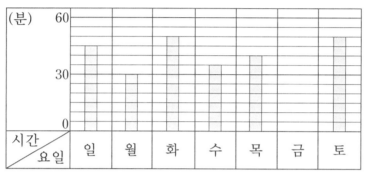

2 석기네 학교 4학년 학생 160명이 가장 좋아하는 과목을 조사하여 나타낸 막대그래프입니다. 수학을 좋아하는 학생이 체육을 좋아하는 학생보다 12명 더 많다면, 수학을 좋아하는 학생은 몇 명입니까?

좋아하는 과목별 학생 수

3 오른쪽은 학생 105명이 어린이날 가장 가고 싶은 장소를 조사하여 나타낸 막대그래프입니다. 과학관에 가고 싶은 학생이 15명일 때, 영화관에 가고 싶은 학생은 몇 명입니까?

가고 싶은 장소별 학생 수

장소 \ 학생 수	0					(명)
놀이공원						
과학관						
영화관						
미술관						

4 학생들이 가장 좋아하는 과일을 조사하여 나타낸 표입니다. 수박을 좋아하는 학생은 포도를 좋아하는 학생보다 16명이 더 많고, 포도를 좋아하는 학생은 멜론을 좋아하는 학생보다 2명이 더 많습니다. 포도를 좋아하는 학생은 몇 명입니까?

좋아하는 과일별 학생 수

과일	사과	포도	수박	멜론	합계
학생 수(명)	16				102

5 그림 그리기 대회에 참가한 학년별 남녀 학생 수를 조사하여 나타낸 막대그래프입니다. 참가한 남학생 수와 여학생 수의 차는 몇 명입니까?

그림 그리기 대회에 참가한 학생 수

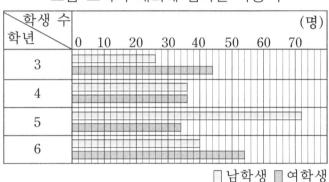

6 달리기 대회에서 상을 탄 4학년 학생 수를 반별로 조사하여 나타낸 막대그래프입니다. 상을 탄 학생이 가장 많은 반과 가장 적은 반의 학생 수의 차는 몇 명입니까?

상을 탄 학생 수

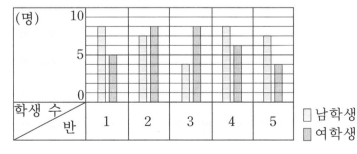

7 유승이네 학교 4학년 학생들은 이웃돕기 성금으로 212000원을 모았습니다. 다음은 성금을 낸 액수별로 학생 수를 조사하여 나타낸 막대그래프입니다. 3000원씩 성금을 낸 학생은 모두 몇 명입니까?

금액별 성금을 낸 학생 수

학생 수 \ 성금액	1000원	2000원	3000원	4000원	5000원

8 4학년 학생 25명이 헌혈 증서를 모으기로 하였습니다. 모은 헌혈 증서는 40장이고 헌혈 증서를 낸 학생 수는 다음 표와 같습니다. ㉮에 해당하는 학생 수는 최대 몇 명입니까?

헌혈 증서(장)	1	2	3	4	5	합계
학생 수(명)	16	㉮	㉯	㉰	1	25

9 4학년 학생 51명이 축구, 농구, 배구, 야구, 피구 중에서 가장 좋아하는 운동을 조사하여 나타낸 막대그래프의 일부분입니다. 배구를 좋아하는 학생이 있기는 하지만 가장 적고 피구를 좋아하는 학생이 가장 많을 때, 야구를 좋아하는 학생은 몇 명입니까?

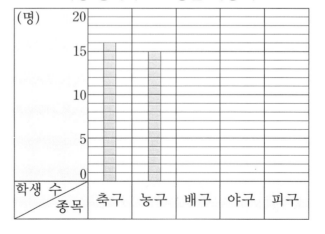

가장 좋아하는 운동별 학생 수

10 유승이네 학교 4학년 학생들이 반별로 모은 책 수를 조사하여 나타낸 막대그래프의 일부분이 찢어졌습니다. 1반과 4반이 모은 책 수와 2반과 3반이 모은 책 수가 같고 1반이 모은 책은 4반이 모은 책보다 8권이 더 많습니다. 2반이 모은 책은 3반이 모은 책보다 16권이 더 많다고 할 때 2반이 모은 책은 몇 권입니까?

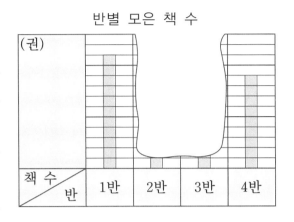

반별 모은 책 수

11 가영이네 반 학생 28명에게 사과, 포도, 수박, 멜론, 키위 중에서 가장 좋아하는 과일을 한 가지씩 조사하여 나타낸 막대그래프입니다. 아래 조건을 만족하는 막대그래프는 모두 몇 가지를 그릴 수 있습니까?

좋아하는 과일별 학생 수

㉠ 가장 많은 학생들이 좋아하는 과일은 수박이고 가장 적은 학생들이 좋아하는 과일은 사과입니다.

㉡ 키위를 좋아하는 학생 수는 포도를 좋아하는 학생 수보다 작고 멜론을 좋아하는 학생 수보다 많습니다.

12 영수네 학교 학생들이 좋아하는 운동을 조사하여 표로 나타낸 것입니다. 농구와 축구를 좋아하는 학생 수는 같고, 야구를 좋아하는 학생은 축구를 좋아하는 학생보다 24명 많다면, 야구를 좋아하는 학생은 몇 명입니까?

좋아하는 운동별 학생 수

운동	축구	농구	야구	배구	합계
학생 수(명)				53	332

13 오른쪽 그래프는 유승이네 학교 학생들 중에서 집에 백과사전이 있는 학생 수를 조사하여 나타낸 것입니다. 백과사전이 있는 학생 수가 180명일 때, 4학년에 백과사전이 있는 학생 수는 몇 명입니까?

백과사전이 있는 학생 수

학생 수 학년	(명)
1	
2	
3	
4	

14 석기, 가영, 상연, 예슬이가 종이학 한 개를 만드는 데 걸리는 시간을 조사하여 막대그래프로 나타낸 것입니다. 4사람이 쉬지 않고 만든다고 할 때 한 시간 동안 만든 종이학은 모두 몇 개입니까?

걸리는 시간

시간 이름	0	5	10 (분)
석기			
가영			
상연			
예슬			

15 지난 한 달 동안 영철이네 학교 4학년 학생의 반별 봉사 활동을 한 학생 수를 조사하여 나타낸 막대그래프입니다. 봉사활동에 참가한 남학생과 여학생의 학생 수의 차가 6명일 때 봉사활동에 참가한 4학년 학생은 모두 몇 명입니까?

봉사활동에 참가한 반별 학생 수

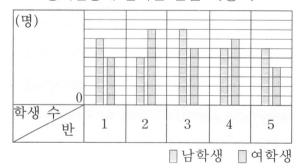

16 주사위를 33번 던져서 각각의 눈이 나온 횟수를 조사하여 막대그래프로 나타
낸 것입니다. 나온 모든 눈의 합이 109일 때 5가 나온 횟수는 몇 번입니까?

주사위의 눈이 나온 횟수

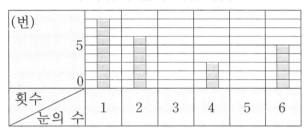

17 효근이네 학교 4학년의 반별 화분 수를 조사하여 나타낸 표와 막대그래프입
니다. 2반이 5반보다 화분이 15개 더 많을 때, 2반의 화분은 몇 개입니까?

반별 화분 수

반	1	2	3	4	5	합계
화분 수(개)	45					240

반별 화분 수

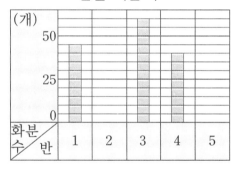

18 4학년 학생 67명의 수학 성적과 문제별 맞힌 학생 수를 조사하여 나타낸
표입니다. 수학 문제는 3문제이고 그 배점은 1번이 20점, 2번이 30점, 3번
이 50점입니다. 학생들의 수학 점수의 합이 3560점일 때 ㉠과 ㉡에 알맞은
수를 각각 구하시오.

수학 성적

점수	0	20	30	50	70	80	100
학생 수(명)		14	8	15	9		7

문제별 맞힌 학생 수

점수	1번	2번	3번
학생 수(명)	㉠	39	㉡

1 꺾은선그래프

수량이 변하는 상태를 점으로 찍고, 그 점을 선분으로 이어 그린 그래프를 꺾은선그래프라고 합니다.

2 꺾은선그래프의 특징

- 꺾은선그래프는 변화하는 모양과 정도를 알아보기 쉽고, 조사하지 않은 중간의 것도 예상할 수 있습니다.

- 변화가 심한 때가 언제인지를 알아보는 것은 꺾은선(선분)의 기울기로 알 수 있습니다.

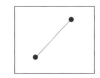

증가 변화의 정도가 심합니다.   변화가 없습니다.   감소 변화의 정도가 심하지 않습니다.

3 꺾은선그래프 그리기

- 꺾은선그래프 그리는 순서

  ① 가로, 세로의 눈금에 나타낼 것을 정합니다.
  ② 눈금 한 칸의 크기를 정하고, 조사한 수 중에서 가장 큰 수를 나타낼 수 있도록 눈금의 수를 정합니다.
  ③ 조사한 내용을 가로, 세로의 눈금에서 각각 찾아 만나는 자리에 점을 찍습니다.
  ④ 점을 선분으로 잇습니다.

- 꺾은선그래프 그리기

한초의 턱걸이 횟수

요일	일	월	화	수	목	금	토
횟수(회)	7	8	12	15	14	19	23

한초의 턱걸이 횟수

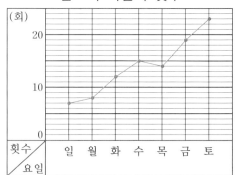

4 물결선을 사용한 꺾은선그래프의 특징

세로 눈금 한 칸에 대한 크기를 작게 잡고, 필요 없는 부분을 ≈(물결선)으로 줄여서 꺾은선그래프를 그리면, 변화하는 모양을 뚜렷이 나타낼 수 있습니다.

5 물결선을 사용한 꺾은선그래프 그리기

• 물결선을 사용한 꺾은선그래프 그리는 순서
  ① 물결선으로 나타낼 부분을 정합니다.
  ② 세로의 작은 눈금 한 칸의 크기를 정합니다.
  ③ 가로 눈금과 세로 눈금이 만나는 자리에 점을 찍습니다.
  ④ 점을 선분으로 잇습니다.

• 물결선을 사용한 꺾은선그래프 그리기

상연이의 줄넘기 횟수

요일	일	월	화	수	목	금	토
횟수(회)	210	217	208	213	211	222	224

상연이의 줄넘기 횟수

6 막대그래프와 꺾은선그래프의 특징 비교

막대그래프	꺾은선그래프
• 각 부분의 상대적인 크기를 비교하기 쉽습니다. • 전체적인 자료의 내용을 한눈에 알아보기 쉽습니다.	• 시간에 따른 연속적인 변화나 늘어나고 줄어든 변화 상황을 알기 쉽습니다. • 중간의 값을 예상할 수 있습니다.

어느 날 교실의 온도를 조사하여 나타낸 그래프입니다. 물음에 답하시오.

(1) 가로 눈금과 세로 눈금은 각각 무엇을 나타냅니까?

(2) 세로의 작은 눈금 한 칸의 크기는 몇 도입니까?

(3) 온도가 가장 낮은 때는 몇 시입니까?

(4) 오후 1시 30분의 온도는 약 몇 도입니까?

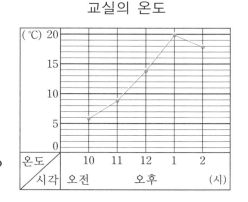

교실의 온도

풀이

(2) 0℃부터 5℃까지 $\boxed{}$ 칸으로 나누어져 있으므로 세로의 작은 눈금 한 칸의 크기는 $\boxed{}$ ℃입니다.

(3) 그래프에서 가장 낮은 온도는 $\boxed{}$ ℃이고 이때의 시각은 오전 $\boxed{}$ 시입니다.

(4) 오후 1시와 2시 사이의 중간값인 $(20+18) \div 2 = \boxed{}$ (℃)입니다.

답 (1) 가로 눈금 : $\boxed{}$, 세로 눈금 : $\boxed{}$ (2) $\boxed{}$ ℃

(3) 오전 $\boxed{}$ 시 (4) 약 $\boxed{}$ ℃

EXERCISE 1

1 규형이의 몸무게를 학년별로 조사하여 나타낸 표입니다. 물음에 답하시오.

규형이의 몸무게

(매년 3월초 조사)

학년	1	2	3	4
몸무게(kg)	21	26	28	31

(1) 표를 보고 꺾은선그래프로 나타내시오.

(2) 몸무게가 가장 많이 늘어난 때는 몇 학년입니까?

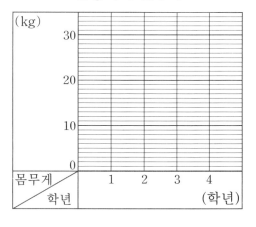

규형이의 몸무게

용희네 마을의 연도별 쌀 생산량을 조사하여 나타낸 표와 꺾은선그래프입니다. 물음에 답하시오.

연도별 쌀 생산량

연도(년)	2017	2018	2019	2020
생산량(kg)	45300	46200	46800	46400

연도별 쌀 생산량

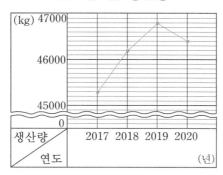

(1) 쌀이 가장 많이 생산된 해와 가장 적게 생산된 해의 생산량의 차는 몇 kg입니까?

(2) 전년에 비해 생산량이 가장 많이 증가한 때는 언제입니까?

(3) 전년에 비해 생산량이 감소한 때는 언제입니까?

(4) 물결선을 그린 이유는 무엇입니까?

풀이

(1) 가장 많이 생산된 해 : ☐ 년 … ☐ kg

　　가장 적게 생산된 해 : ☐ 년 … ☐ kg

　　차 : ☐ − ☐ = ☐ (kg)

(2) 전년에 비해 꺾은선그래프의 증가 변화의 정도가 가장 심할 때는 ☐ 년입니다.

(3) 전년도에 비해 생산량이 감소한 때는 ☐ 년입니다.

답 (1) ☐ kg (2) ☐ 년 (3) ☐ 년

　　(4) 필요한 부분이 자세히 나타나게 되어 ☐ 을 잘 알 수 있습니다.

어느 식물의 키를 매달 1일에 측정하여 나타낸 그래프입니다. 물음에 답하시오.

(1~5)

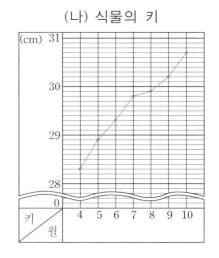

(가) 식물의 키   (나) 식물의 키

1 (가)와 (나) 그래프 중 식물의 키의 변화를 더 뚜렷이 나타내는 것은 어느 것입니까?

2 (가)와 (나) 그래프의 세로의 작은 눈금 한 칸의 크기는 각각 얼마입니까?

3 변화하는 모양을 뚜렷이 나타내려면 세로의 작은 눈금 한 칸의 크기를 어떻게 하는 것이 좋겠습니까?

4 식물의 키가 가장 많이 자란 달은 몇 월입니까?

5 식물의 키가 가장 적게 자란 달은 몇 월입니까?

왕 문제

APPLICATION	전국 경시 예상 등위			
	대상권	금상권	은상권	동상권
	16/17	15/17	14/17	13/17

1 오른쪽 그래프는 가영이네 교실의 온도를 나타낸 것입니다. 물음에 답하시오.

(1) 온도가 가장 높은 때는 몇 시입니까?

(2) 오전 9시 30분의 온도는 약 몇 도입니까?

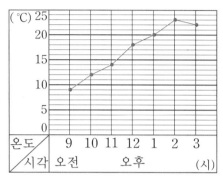

교실의 온도

2 오른쪽 그래프는 어느 과일 가게에서 일주일 동안 판매한 과일 수를 나타낸 것입니다. 물음에 답하시오.

(1) 과일을 가장 많이 판매한 때와 가장 적게 판매한 때의 차는 몇 상자입니까?

(2) 전날과 비교하여 판매한 과일 수가 변화하지 않은 때는 무슨 요일입니까?

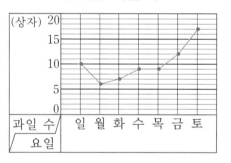

판매한 과일 수

3 표를 보고 꺾은선그래프를 그릴 때, 물결선으로 나타낼 수 있는 구간 중 가장 알맞은 것을 고르시오.

월	1	2	3	4	5
몸무게(kg)	31.2	31.8	32.0	32.9	33.4

① 31.2 kg과 31.8 kg 사이   ② 0.0 kg과 30.0 kg 사이

③ 33.4 kg과 50.0 kg 사이   ④ 32.0 kg과 32.9 kg 사이

⑤ 31.2 kg과 33.4 kg 사이

APPLICATION

4 오른쪽 그래프는 어느 회사에서 생산한 과자 수를 월별로 조사한 것입니다. 물음에 답하시오.

월별 과자의 생산량

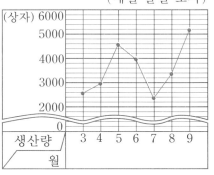

(1) 세로의 작은 눈금 한 칸의 크기는 얼마입니까?

(2) 생산량이 가장 많이 증가한 때는 몇 월입니까?

5 오른쪽 그래프는 어느 날 오전 8시부터 오후 6시까지 내린 비를 물통에 받았을 때, 물의 높이를 나타낸 것입니다. 물음에 답하시오.

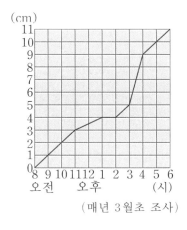

(1) 오전 10시부터 오후 5시까지는 몇 cm의 비가 내렸습니까?

(2) 비가 내리는 것이 멈춘 때와 가장 많이 내린 때는 각각 몇 시부터 몇 시까지입니까?

6 오른쪽 그래프는 1학년부터 6학년까지의 효근이의 키를 조사하여 나타낸 것입니다. 물음에 답하시오.

효근이의 키

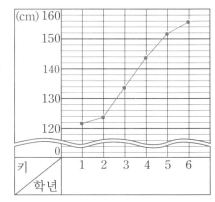

(1) 효근이의 키가 1년에 4 cm가 자란 때는 몇 학년입니까?

(2) 효근이는 5년 동안 몇 cm 자랐습니까?

7 영수는 집에서 12 km 떨어진 곳으로 소풍을 다녀왔습니다. 오른쪽 그래프는 영수가 집에서 출발하여 집에서 떨어진 거리와 시간과의 관계를 나타낸 것입니다. 영수가 9시 30분에 출발하여 도중에 쉬지 않고 목적지까지 다녀왔다면, 집에 몇 시 몇 분에 도착했겠습니까?

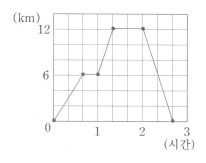

8 오른쪽 그래프는 석기와 동민이의 몸무게 변화를 나타낸 것입니다. 물음에 답하시오.

(1) 두 사람의 몸무게 차이가 가장 많을 때는 몇 살이고, 몇 kg 차이가 납니까?

(2) 동민이가 석기보다 무거워지기 시작하는 때는 몇 살과 몇 살 사이입니까?

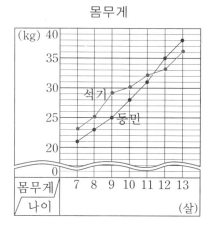

9 물이 가득 찬 물통에서 물이 흘러나오고 있습니다. 오른쪽 그래프는 물통에 남은 물의 양을 1분 간격으로 조사하여 그린 것입니다. 물음에 답하시오.

(1) 물이 가장 많이 흘러나온 때는 몇 분과 몇 분 사이입니까?

(2) (1)에서 물은 몇 L가 흘러나왔습니까?

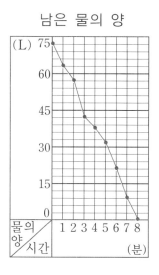

10 오른쪽 그래프는 어느 해수욕장의 연도별 입장객 수를 나타낸 것입니다. 입장객이 전년에 비해 가장 많이 늘어난 해는 몇 년 이고, 몇 명이 늘어났습니까?

입장객 수

11 오른쪽 그래프는 한초의 수학 성적의 일부분을 나타낸 것입니다. 8월부터 12월까지 수학 성적의 평균이 81점일 때, 그래프를 완성하시오. (단, 평균은 (총점)÷(횟수)입니다.)

한초의 수학 성적

12 토끼와 거북이가 10 km 달리기 경주를 했습니다. 오른쪽 그래프는 거북이가 달린 거리와 시간과의 관계를 나타낸 것입니다. 토끼는 1시간에 2 km씩 달렸으나, 2시간 달린후 낮잠을 잤기 때문에 거북이에게 추월당했습니다. 토끼가 잠을 자기 시작하여 몇 시간 몇 분 후에 추월을 당했습니까?

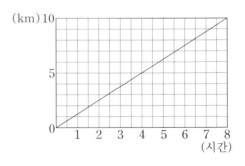

13 오른쪽 그래프는 영수와 한별이의 몸무게를 나타낸 것입니다. 물음에 답하시오.

(1) 두 사람의 몸무게가 같을 때는 몇 살과 몇 살 사이입니까? 또, 그때 몸무게는 몇 kg 입니까?

(2) 한별이의 몸무게가 가장 많이 늘었을 때, 영수의 몸무게는 몇 kg 늘었습니까?

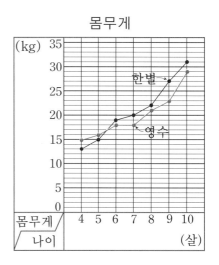

14 오른쪽 그래프는 한솔, 상연, 지혜의 수학 성적을 매월 조사하여 나타낸 것입니다. 3월에 비해 8월의 수학 성적이 가장 많이 오른 사람과 가장 적게 오른 사람을 각각 구하시오.

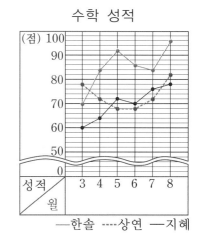

15 오른쪽 그래프는 동민이가 일주일 동안 넘은 줄넘기 횟수를 나타낸 것입니다. 일주일 동안 622회를 넘었다면, 전날에 비해 줄넘기 횟수가 가장 많이 증가한 때는 무슨 요일입니까?

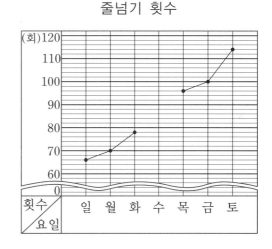

16 그래프는 웅이와 신영이의 저금액을 각각 나타낸 것입니다. 2018년에 웅이의 저금액은 신영이의 저금액의 몇 배입니까?

웅이의 저금액

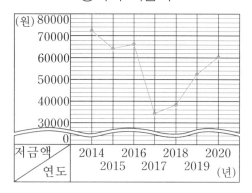

신영이의 저금액

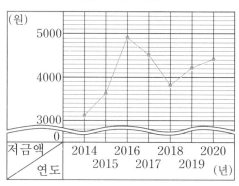

17 한초와 친구들이 윗몸일으키기를 한 횟수를 조사하여 나타낸 그래프입니다. 윗몸일으키기를 가장 많이 한 요일과 가장 적게 한 요일의 횟수의 차가 가장 큰 사람은 누구입니까?

(가) 윗몸일으키기

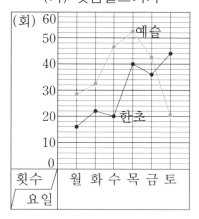

(나) 윗몸일으키기

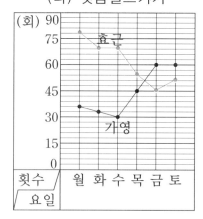

왕중왕문제

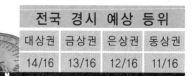

1 표는 3월 5일에 태어난 아기의 몸무게를 매달 5일에 측정하여 나타낸 것입니다. 표를 보고 꺾은선그래프를 그리시오.

아기의 몸무게

월	3	4	5	6	7	8	9	10
몸무게(kg)	3.3	4.2	5.3	6.1	6.5	7.2	7.6	7.9

아기의 몸무게

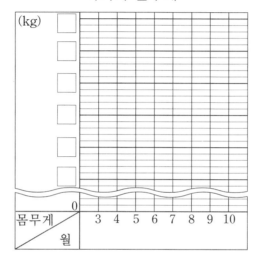

오른쪽 그래프는 어느 도시의 기온과 수온을 매달 1일에 조사하여 나타낸 것입니다. 물음에 답하시오. (**2**~**3**)

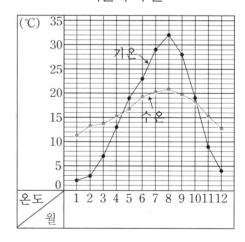

기온과 수온

2 기온과 수온의 차가 가장 클 때는 언제이고, 그 차는 몇 도입니까?

3 10월 16일의 기온과 수온의 차는 약 몇 도입니까?

4 오른쪽 그래프는 한초의 윗몸일으키기 횟수를 나타낸 것입니다. 물음에 답하시오.

윗몸일으키기 횟수

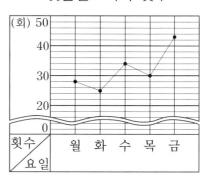

(1) 표를 완성하시오.

요일	월	화	수	목	금
횟수(회)					

(2) 한초는 하루에 평균 몇 회의 윗몸일으키기를 한 것입니까? (단, 평균은 (총횟수)÷(날수)입니다.)

5 학교에서 문방구점까지의 거리는 60 m 입니다. 갑, 을 두 사람이 동시에 학교를 출발하여 일정한 빠르기로 학교와 문방구점 사이를 왕복하고 있습니다. 그래프는 갑과 을이 2분 동안 움직인 거리를 나타낸 것입니다. 갑과 을이 처음으로 만나는 것은 학교에서 출발한지 몇 초 후입니까?

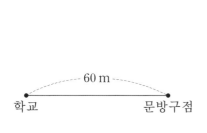

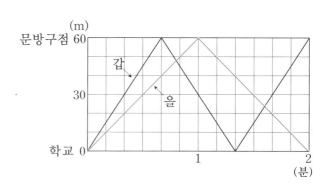

6 석기는 올해 1월에 통장을 만들었습니다. 그래프는 1월부터 8월까지 매월 말일에 그 달에 예금한 금액은 실선으로, 찾은 금액은 점선으로 나타낸 것입니다. 물음에 답하시오. (단, 이자는 생각하지 않습니다.)

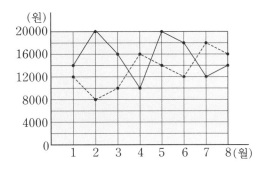

(1) 8월 말일에 통장에 남아 있는 돈은 얼마입니까?

(2) 매월 말일에 통장에 가장 많은 돈이 남아 있었던 때는 몇 월입니까?

7 석기네 학교에서 소풍을 관악산으로 걸어서 갔고, 돌아올 때는 버스를 타고 왔습니다. 이 때의 거리와 시간과의 관계를 그래프로 나타내었습니다. 물음에 답하시오.

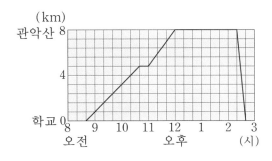

(1) 몇 시간 동안 걸었습니까?

(2) 버스는 1시간에 몇 km를 달립니까? (단, 버스는 일정한 빠르기로 달립니다.)

8 그래프는 웅이가 7월부터 12월까지 매월 받은 용돈과 그 달에 사용한 용돈을 나타낸 것입니다. 12월 마지막 날에 웅이에게 남아 있는 용돈은 얼마입니까?

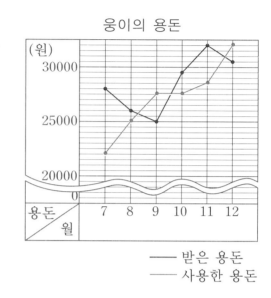

웅이의 용돈

—— 받은 용돈
—— 사용한 용돈

9 오른쪽 그래프는 84 L들이의 빈 수조에 일정한 양씩 물을 넣었을 때, 물을 넣기 시작하고부터의 시간과 수조 속의 물의 양과의 관계를 나타낸 것입니다. 수조의 밑바닥의 일부분이 도중에 새기 시작하여 물이 새는 것을 막으며 계속 넣었을 때, 이 수조에 물이 가득 찰 때는 처음부터 몇 분 후입니까?

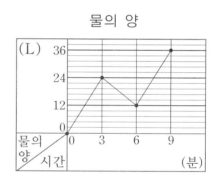

물의 양

10 오른쪽 그래프는 수학 성적을 나타낸 것입니다. 수학 성적의 평균을 구하시오. (단, 평균은 (총점)÷(횟수)입니다.)

수학 성적

오른쪽 그래프는 용희네 가족이 집에서 자동차로 400 km 떨어진 할머니댁에 갈 때, 시간과 거리를 나타낸 것입니다. 물음에 답하시오. (**11~12**)

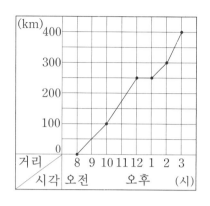

11 처음 출발했을 때의 빠르기로 쉬지 않고 할머니댁까지 갔다면 몇 시간이 걸리겠습니까?

12 할머니가 1시간에 50 km씩 일정하게 달리는 버스를 타고 12시에 용희네 가족과 식당에서 만나기로 하였습니다. 할머니는 집에서 몇 시에 출발해야 합니까? (단, 용희네 집에서 식당까지의 거리는 250 km이고, 식당은 용희네 집과 할머니댁 사이에 있습니다.)

13 오른쪽 그래프는 192 L의 물이 들어 있는 물 탱크에서 가, 나 두 개의 수도꼭지로 사용하고 남은 물의 양을 나타낸 것입니다. 처음부터 14분까지는 가, 나 두 개의 수도꼭지를, 22분까지는 나 수도꼭지만을, 27분까지는 가, 나 두 개의 수도꼭지를 사용했습니다. 처음부터 가 수도꼭지만 사용했다면, 이 물탱크의 물을 모두 사용하는 데는 몇 분이 걸렸겠습니까?

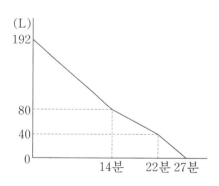

14 가, 나 두 개의 수도꼭지가 연결되어 있는 물통이 있습니다. 오른쪽 그래프는 나 수도꼭지로 계속 물을 빼내면서 동시에 3분 동안 가 수도꼭지로 물을 넣어 물통에 남은 물의 양을 나타낸 것입니다. 가 수도꼭지만을 열어 20 L의 물을 채우려면 몇 분이 걸리겠습니까?

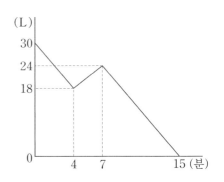

15 그림과 같이 연못 둘레에 500 m 되는 산책로가 있습니다. 연못에는 길이가 40 m인 다리가 있어 연못 둘레가 이등분되어 있고, 이 다리로부터 50 m 거리에 산책로 입구가 있습니다. 가영이가 이 산책로를 화살표 방향으로 일정한 빠르기로 걷는 데 걸린 시간과 그 지점에서 산책로 입구까지의 가장 짧은 거리와의 관계를 그래프로 나타내었습니다. ㉠과 ㉡의 합을 구하시오.

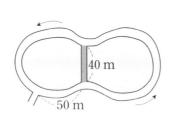

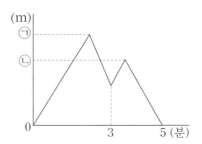

16 [그림 1]과 같이 가운데에 칸막이가 있는 상자 모양의 물통에 가, 나 두 수도꼭지로 매분 일정량씩 물을 넣었습니다. [그림 2]는 칸막이 높이까지 물이 차는 데 걸린 시간과 물의 양을 그래프로 나타낸 것입니다. 나 수도꼭지만으로 들이가 50 L인 빈 물통을 가득 채운다면 모두 몇 분이 걸리겠습니까?

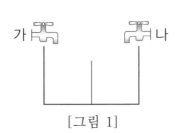

[그림 1]

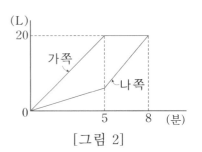

[그림 2]

IV

규칙성과 대응

APPLICATION

용 용 왕 수 학

1. 규칙적으로 반복되는 유형에 관한 문제 (주기산)

다음과 같은 규칙대로 바둑돌이 202개 놓여 있습니다. 이 중에서 검은색 바둑돌은 몇 개입니까?

●●○○○○●●○○○○●●○○○○●●○○○… (바둑돌 나열)

풀이

반복되는 부분은 ●●○○○ 로 이 중 ☐개가 검은색 바둑돌입니다.

바둑돌 202개를 5로 나누었을 때의 몫과 나머지를 구하면 다음과 같습니다.

$202 \div 5 = \boxed{} \cdots \boxed{}$

따라서 검은색 바둑돌은 $2 \times \boxed{} + \boxed{} = \boxed{}$(개)입니다.

답 ☐개

Point

전체를 반복되는 부분의 개수로 나누어 몫과 나머지를 구하여 해결합니다.

EXERCISE

🕐 도형을 규칙적으로 늘어놓았습니다. 305개를 늘어놓았을 때, 삼각형은 몇 개 있는지 구하시오. (**1~3**)

○□△△□△○□△△□△○□△△□△○□… (도형 나열)

1 반복되는 부분을 찾아 그려 보시오.

2 반복되는 부분은 몇 묶음이 되고 나머지는 몇 개인지 구하시오.

3 305개를 늘어놓았을 때 삼각형은 몇 개 있는지 구하시오.

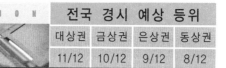

전국 경시 예상 등위			
대상권	금상권	은상권	동상권
11/12	10/12	9/12	8/12

1 도형을 규칙적으로 늘어놓았습니다. 400개를 늘어놓았을 때, ★은 몇 개 있습니까?

△○★○★★△△○★○★★△△○★○★★△△…

2 다음과 같이 수를 규칙적으로 늘어놓았습니다. 183번째에 올 수는 무엇인지 구하시오.

> 1, 3, 5, 2, 4, 1, 3, 5, 2, 4, 1, 3, 5, …

3 다음과 같이 수를 규칙적으로 늘어놓았습니다. 처음부터 100번째 수까지의 총 합을 구하시오.

> 1, 2, 3, 1, 1, 1, 2, 3, 1, 1, 1, 2, 3, 1, 1, 1 …

APPLICATION

다음 4종류의 동전을 규칙적으로 늘어놓았습니다. 물음에 답하시오. (4 ∼ 6)

4 888번째 동전은 얼마짜리입니까?

5 32번째까지의 동전을 모두 합하면 얼마입니까?

6 금액의 합이 8650원이 되는 때는 처음부터 몇 번째 동전까지입니까?

7 어느 해의 3월 1일은 월요일입니다. 이 해의 3월 26일은 무슨 요일이겠습니까?

8 4월 8일이 수요일이었다면 5월 5일은 무슨 요일이 되겠습니까?

9 신영이의 생일은 6월 17일입니다. 이 날 이후 100일째 되는 날은 몇 월 며칠입니까?

10 한초는 오늘 아버지의 생신이 앞으로 23일 남은 것을 알게 되었습니다. 오늘
이 토요일이면 아버지의 생신은 무슨 요일입니까?

🕐 5÷13을 소수로 나타내려고 합니다. 물음에 답하시오. (11~12)

11 소수점 아래 124째 자리의 숫자는 무엇입니까?

12 소수점 아래 첫째 자리부터 30째 자리까지의 각 자리의 숫자의 합을 구하시오.

정육면체의 각 면에 다음과 같은 방법으로 수를 써 나갈 때, 물음에 답하시오. (**1~2**)

> • 한 모서리의 길이가 1 cm이면 1, 2, 3, 4, 5, 6
> • 한 모서리의 길이가 2 cm이면 2, 4, 6, 8, 10, 12
> • 한 모서리의 길이가 3 cm이면 3, 6, 9, 12, 15, 18

1 한 모서리의 길이가 10 cm인 정육면체의 각 면에 쓰이는 수의 합은 얼마입니까?

2 수의 합이 441이 되는 정육면체의 한 모서리의 길이는 몇 cm입니까?

3 어떤 해의 4월 3일은 화요일입니다. 같은 해의 8월 8일은 무슨 요일입니까?

4 2020년 2월 2일은 일요일입니다. 2021년 2월 2일과 2022년 2월 2일은 각각 무슨 요일입니까? (단, 2020년은 1년이 366일인 윤년입니다.)

5 동민이는 2020년 11월 20일 금요일에 태어났습니다. 동민이의 3번째 생일인 2023년 11월 20일은 무슨 요일이며, 2023년 11월의 동민이의 생일이 있는 요일과 같은 요일에 있는 모든 날짜의 합은 얼마입니까?

6 수를 다음과 같이 규칙적으로 늘어놓았을 때, 500번째까지의 수에서 2와 5 중 어느 수가 몇 번 더 많이 나오는지 구하시오.

> 2, 2, 3, 8, 5, 4, 2, 9, 2, 2, 3, 8, 5, 4, 2, 9, 2, …

7 3을 두 번 곱하면 9가 되고, 세 번 곱하면 27이 됩니다. 3을 999번 곱하면, 일의 자리의 숫자는 얼마가 됩니까?

8 A, B, C, B, B, A, A, B, C, B, B, A, A, B, C, …와 같이 알파벳을 규칙적으로 늘어놓았습니다. 50번째로 B, B가 놓이는 것은 처음부터 세어서 몇 번째와 몇 번째입니까?

9 다음은 규칙적으로 수를 늘어놓은 것입니다. 150번째 분수를 가분수로 나타낼 때 분모와 분자의 차는 얼마입니까?

$$\frac{1}{5}, \ \frac{2}{7}, \ \frac{3}{9}, \ \frac{4}{11}, \ 1\frac{1}{5}, \ 1\frac{2}{7}, \ 1\frac{3}{9}, \ 1\frac{4}{11}, \ 2\frac{1}{5}, \ 2\frac{2}{7}, \ \cdots$$

10 다음은 규칙적으로 수를 늘어놓은 것입니다. 10번째부터 30번째 수까지의 합을 구하시오.

1, 2, 2, 3, 3, 3, 4, 4, 4, 4, 5, 5, 5, 5, 5, 6, 6, 6, 6, 6, 6, 7, 7, …

11 어느 해의 5월 5일은 수요일입니다. 그 해의 꼭 중간에 해당하는 날은 몇 월 며칠 무슨 요일입니까? (단, 2월은 28일로 생각합니다.)

12 다음 그림과 같이 크고 작은 두 종류의 고리를 11개 연결하여 팽팽하게 당길 때, 전체의 길이는 몇 cm가 됩니까? (단, 고리의 두께는 1 cm이고, 고리의 바깥 지름은 큰 것이 18 cm, 작은 것이 9 cm입니다.)

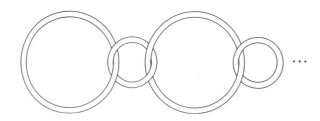

사탕을 몇 사람에게 나누어 주려고 합니다. 한 사람당 3개씩 나누어 주면 5개가 남고 5개씩 나누어 주려면 7개가 부족하다고 합니다. 사람 수와 사탕 수를 각각 구하시오.

풀이

사람 수를 ■명이라 하고, 3개씩 나누어 줄 때와 5개씩 나누어 줄 때에 필요한 사탕 수의 차이를 선분도로 나타내어 생각해 봅니다. 즉, 선분도에서 볼 때, 사람들에게 3개씩 줄 때와 5개씩 줄 때의 사탕 수의 차는 $5+7=$ ☐ (개)이므로

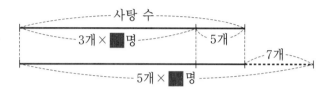

사람 수는 ☐ $\div(5-3)=$ ☐ (명)입니다.

따라서 사탕은 $3\times$ ☐ $+5=$ ☐ (개)입니다.

답 사람 수 : ☐ 명, 사탕 수 : ☐ 개

Point

- (남고 부족할 때의 차) → (남음)+(부족)
- (양쪽 모두 남을 때의 차) → (남음)−(남음)
- (양쪽 모두 부족할 때의 차) → (부족)−(부족)

EXERCISE

주머니 속에 들어 있는 구슬을 몇 사람에게 나누어 주려고 합니다. 한 사람당 8개씩 나누어 주면 12개가 남고, 10개씩 나누어 주려면 4개가 부족하다고 합니다. 사람 수와 구슬 수를 각각 구하시오. (1~2)

1 사람 수를 ☐로 하여 선분도로 나타내어 보려고 합니다. ( ) 안에 알맞은 수를 써넣으시오.

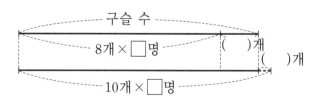

2 사람 수와 구슬 수를 각각 구하시오.

1 율기는 사탕을 친구들과 나누어 가지려고 합니다. 율기를 포함하여 한 사람이 5개씩 갖게 되면 사탕은 6개 모자라고, 4개씩 갖게 되면 사탕은 1개 모자라게 됩니다. 율기의 친구는 몇 명입니까?

2 큰 물통에 물이 가득 들어 있습니다. 이 물을 크기가 같은 몇 개의 작은 물통에 나누어 담으려 합니다. 500 mL씩 나누어 담으면 물은 2 L 남고, 800 mL씩 나누어 담으면 물은 200 mL 남습니다. 큰 물통에 들어 있는 물은 몇 L입니까?

3 몇 명의 학생들에게 선생님이 가지고 있는 색 테이프를 나누어 주려고 합니다. 한 사람당 1 m 20 cm씩 나누어 주면 3 m가 남고, 1 m 50 cm씩 나누어 주려면 2 m 10 cm가 부족합니다. 선생님은 색 테이프를 몇 m 몇 cm 가지고 있습니까?

4 색종이를 몇 명의 학생들에게 나누어 주려고 합니다. 12장씩 나누어 주려면 18장이 부족해서 9장씩 나누어 주었더니 꼭맞게 되었습니다. 색종이는 몇 장입니까?

5 연필 몇 자루를 몇 명이서 나누어 가지려 합니다. 한 사람당 3자루씩 나누어 가지면 4자루 남고, 5자루씩 나누어 가지면 남거나 부족함이 없게 됩니다. 연필은 몇 자루입니까?

6 귤을 한 사람에게 4개씩 주면 11개가 남고, 2개씩 더 주려면 23개가 부족합니다. 귤은 몇 개입니까?

7 긴 의자가 몇 개 있습니다. 한 의자에 4명씩 앉으려면 의자가 꼭맞게 6개 부족하고, 6명씩 앉으면 의자는 꼭맞게 18개 남는다고 합니다. 의자 수와 학생 수를 각각 구하시오.

8 5명에게 똑같이 나누어 주려고 몇 장의 색도화지를 사 왔는데, 나중에 보니 사람이 8명이었습니다. 처음 예정대로 나누어 주면 24장이 부족하게 됩니다. 사 온 색도화지는 몇 장입니까?

9 상자에 귤이 들어 있습니다. 이것을 몇 명에게 나누어 주는데 1사람당 8개씩 주면 24개 남고, 10개씩 주면 12개 남게 됩니다. 귤을 나머지 없이 꼭맞게 나누어 주려면 한 사람당 몇 개씩 주면 됩니까?

10 몇 개의 사과와 그것을 넣을 수 있는 상자들이 있습니다. 한 상자에 15개씩 넣으려면 상자는 꼭맞게 5상자 부족하게 되고, 20개씩 넣으면 꼭맞게 사과를 넣게 됩니다. 사과는 모두 몇 개 있습니까?

11 몇 개의 사과와 그것을 넣을 수 있는 상자들이 있습니다. 한 상자에 25개씩 넣으려면 상자는 꼭맞게 2상자 부족하게 되고, 30개씩 넣으면 마지막 상자에는 사과를 25개 밖에 넣을 수 없습니다. 사과는 모두 몇 개 있습니까?

12 주머니에 들어 있는 구슬을 몇 개의 통에 나누어 담으려 합니다. 한 통에 20개씩 넣으면 구슬은 15개 남게 되고, 25개씩 넣으면 빈 통이 하나 남으며 구슬이 들어가는 마지막 통에는 10개의 구슬이 담깁니다. 주머니 속의 구슬은 몇 개입니까?

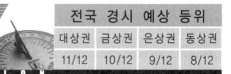
1 지혜는 A 물건을 5개 사면 350원 남을 만큼의 돈을 가지고 있습니다. 이 돈으로 20원 싼 B 물건을 사면 정확히 8개를 살 수 있다고 합니다. 지혜가 가지고 있는 돈은 얼마입니까?

2 어떤 책을 읽는데 매일 25쪽씩 읽으면 마지막 날에 5쪽을 읽게 됩니다. 같은 날 수만큼 매일 32쪽씩 읽으려면 97쪽이 부족하다고 합니다. 이 책은 몇 쪽짜리입니까?

3 한 개에 500원하는 과자를 몇 개 사서 몇 명의 학생들에게 한 개씩 주려고 했지만, 가지고 있는 돈으로는 6개 부족하게 사게 되므로 한 개에 400원하는 과자로 대신하였더니, 1500원의 거스름돈이 남았습니다. 나누어 주려는 학생은 몇 명입니까?

4 큰 물통에 물이 가득 들어 있습니다. 이 물을 5 L들이 작은 물통 몇 개에 모두 나누어 담는데, 작은 물통 하나에 3 L씩 넣으면 30 L의 물이 남고 4.5 L씩 넣으면 물통이 하나 남고 물을 넣은 마지막 물통에는 3 L의 물을 넣게 됩니다. 큰 물통의 들이를 구하시오.

5 도토리가 여러 개 있습니다. 다람쥐에게 매일 10개씩 주면 마지막 날에는 3개밖에 줄 수 없고, 같은 날 수만큼 매일 13개씩 주려면 28개가 부족합니다. 도토리는 몇 개 있습니까?

6 예슬이가 가지고 있는 돈으로 공책을 8권 사면 600원이 남고, 공책보다 50원 싼 연필을 사면 정확히 12자루를 살 수 있습니다. 예슬이가 가지고 있는 돈은 얼마입니까?

7 공책이 상자에 가득 들어 있습니다. 어느 학급에서 이 공책을 나누어 주는데 한 명에게 9권씩 주면 8권이 남게 되고, 12권씩 5명에게 주고 나머지 학생들에게는 10권씩 주려면 42권이 부족합니다. 공책 수와 학생 수를 각각 구하시오.

8 어린이가 어른보다 5명 더 많다고 할 때 몇 개의 사과를 어른과 어린이에게 나누어 주려고 합니다. 어린이 한 명에게 4개씩, 어른 한 명에게 2개씩 주면 25개가 남고, 어린이 한 명에게 7개씩, 어른 한 명에게 4개씩 주려면 10개가 부족하게 됩니다. 사과는 모두 몇 개입니까?

9 구슬 몇 개를 몇 사람에게 나누어 주는데, 그 중 3사람에게는 12개씩, 4사람에게는 10개씩, 나머지 사람에게는 8개씩 나누어 주면 20개 남고, 모두에게 똑같이 10개씩 나누어 주려면 4개가 부족합니다. 구슬의 개수를 구하시오.

10 어느 학급 학생들에게 귤과 사탕을 나누어 주려고 합니다. 귤은 2개씩 주면 3사람 몫이 남게 되고, 사탕은 10개씩 주면 5사람 몫이 부족하게 됩니다. 귤과 사탕을 합하여 376개라면 귤은 몇 개입니까?

11 귤 몇 개와 감 몇 개가 있습니다. 귤의 개수는 감의 개수의 3배라고 합니다. 이것들을 몇 사람에게 나누어 줄 때, 귤은 15개씩 나누어 주면 3개가 부족하고, 감은 4개씩 나누어 주면 7개가 남는다고 합니다. 감은 몇 개입니까?

12 연필이 몇 자루 있습니다. 이것을 몇 명의 학생들에게 나누어 주는 데 한 명에게 5자루씩 주면 18자루가 남고, 처음 나누어 주려던 학생 수의 3배보다 4명 적은 학생에게 3자루씩 주면 2자루가 부족하게 됩니다. 연필은 몇 자루 있습니까?

3. 차가 일정한 것에 착안하여 해결하는 문제 (연령산)

가영이의 나이는 11살이고 아버지의 연세는 41세입니다. 아버지의 연세가 가영이의 나이의 3배가 되는 것은 지금부터 몇 년 후입니까?

풀이

아버지와 가영이의 나이 차는 41−11=☐(살)이고, 이 차이는 세월이 흘러도 변함이 없습니다. 따라서 몇 년 후의 상황은 다음과 같습니다.

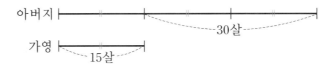

위의 그림에서 몇 년 후의 가영이의 나이는 ☐÷(3−1)=☐(살)이 됩니다.

따라서 ☐−11=☐(년) 후입니다.

답 ☐년 후

Point

차가 항상 일정하다는 것을 생각하여 문제를 해결합니다.

E X E R C I S E

석기는 현재 9살이고 어머니는 37세입니다. 어머니의 연세가 석기 나이의 2배가 되는 것은 지금부터 몇 년 후인지 구하시오. (**1~3**)

1 몇 년 후의 어머니와 석기의 나이를 선분으로 나타내었습니다. ☐ 안에 알맞은 수를 써넣으시오.

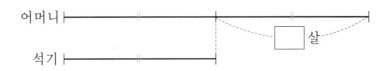

2 어머니의 연세가 석기 나이의 2배가 될 때, 석기의 나이는 몇 살입니까?

3 어머니의 연세가 석기 나이의 2배가 되는 것은 몇 년 후입니까?

1 지금 아버지의 연세는 46세, 아들의 나이는 13살입니다. 아버지의 연세가 아들의 나이의 4배가 되었던 때는 지금부터 몇 년 전입니까?

2 현재 할아버지의 연세는 64세, 손자의 나이는 4살입니다. 할아버지의 연세가 손자의 나이의 7배가 되는 것은 지금부터 몇 년 후입니까?

3 아버지의 연세와 아들의 나이의 합은 55살입니다. 10년 전에 아버지의 연세가 아들의 나이의 6배였다고 하면 현재 아버지의 연세는 몇 세입니까?

4 올해 어머니와 딸의 나이의 차는 24살이고, 어머니의 연세는 딸의 나이의 4배 입니다. 어머니와 딸의 나이의 합을 구하시오.

5 올해 예슬이의 나이는 5살, 어머니의 연세는 32세입니다. 몇 년 후에 예슬이 나이의 4배가 어머니의 연세와 같아집니까?

6 어머니는 올해 35세이고, 동민이는 11살입니다. 몇 년 전에 동민이의 나이의 5배가 어머니의 연세와 같았겠습니까?

7 올해 선생님의 연세는 42세이고, 학생의 나이는 12살입니다. 몇 년 전에 선생님의 연세가 학생 나이의 7배였겠습니까?

8 지금 율기는 12000원, 한솔이는 8000원을 가지고 있습니다. 두 사람이 매주 500원씩 쓰기로 하였다면 율기의 남은 돈이 한솔이의 남은 돈의 3배가 되는 것은 지금부터 몇 주 후입니까?

9 A 창고에는 물건이 384개, B 창고에는 물건이 212개 있습니다. 양쪽 창고에서 매일 물건을 5개씩 밖으로 실어 나를 때 A 창고에 있는 물건의 개수가 B 창고에 있는 물건의 개수의 2배가 되는 것은 며칠 후입니까?

10 현재 아버지의 연세는 40세이고, 두 아들의 나이는 각각 9살, 13살입니다. 두 아들의 나이의 합이 아버지의 연세와 같아지는 것은 몇 년 후입니까?

11 A 창고에는 물건이 175개, B 창고에는 물건이 50개 있습니다. 양쪽 창고에 매일 물건을 25개씩 안으로 실어나를 때 B 창고에 있는 물건의 개수가 A 창고에 있는 물건의 개수의 $\frac{4}{5}$가 되는 것은 며칠 후입니까?

12 사탕을 유승이는 40개, 한솔이는 26개 가지고 있습니다. 두 사람이 사탕을 내일부터 각각 하루에 한 개씩 먹을 때, 유승이의 남은 사탕의 개수가 한솔이의 남은 사탕의 개수의 3배가 되는 것은 오늘부터 며칠 후입니까?

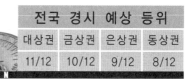
1 어머니의 나이는 36살이고, 나와 동생의 나이의 합은 20살입니다. 어머니의 나이가 나와 동생의 나이의 합과 같아지는 해의 동생의 나이를 구하시오. (단, 나와 동생의 나이 차는 4살입니다.)

2 현재 할머니의 연세는 61세이고, 두 손자의 나이는 각각 6살, 8살입니다. 할머니의 연세가 두 손자의 나이의 합의 2배가 되는 것은 지금부터 몇 년 후입니까?

3 율기는 2500원, 한별이는 1500원을 가지고 있었습니다. 어머니께서 두 사람에게 각각 똑같은 금액을 더 주셨더니 율기가 갖게 된 금액은 한별이가 갖게 된 금액의 $1\frac{2}{5}$배와 같았습니다. 어머니는 얼마씩을 더 주신 것입니까?

4 아버지와 딸의 나이의 합이 60살이고, 아버지의 연세는 딸의 나이의 3배입니다. 아버지의 연세가 딸의 나이의 2.5배가 되는 해의 딸의 나이를 구하시오.

5 규형이와 지혜는 각각 3000원, 1500원을 가지고 문방구점으로 가서 연필을 5자루씩 샀습니다. 규형이의 남은 돈이 지혜의 남은 돈의 4배였다면 연필은 한 자루에 얼마입니까?

6 선생님의 나이는 51세이고, 한초, 영수, 웅이의 나이는 각각 15살, 12살, 10살이라고 할 때, 선생님의 나이가 세 학생의 나이의 합과 같아지는 것은 몇 년 후입니까?

7 어느 공장에서 3가지의 제품을 생산합니다. 제품 ㉮, ㉯, ㉰는 각각 280개, 35 개, 20개씩 생산되어 있으며 앞으로 각각 1분당 1개씩 만든다고 할 때, 제품 ㉮ 의 개수가 제품 ㉯, ㉰의 개수의 합의 3배가 되는 것은 몇 분 후입니까?

8 석기의 24년 후의 나이는 4년 전의 나이의 5배가 된다고 합니다. 석기의 현재 나이를 구하시오.

9 아버지와 어머니의 나이의 합은 아들의 나이보다 64살이 많습니다. 또, 어머니의 나이는 아들의 나이의 3배이고, 아버지는 어머니보다 4살 많습니다. 아버지의 나이를 구하시오.

10 A는 60살, B는 6살, C는 4살, D는 2살입니다. B, C, D의 나이의 합이 A의 나이의 $\frac{1}{3}$이 되는 것은 지금부터 몇 년 후입니까?

11 나이가 많은 차례로 A, B, C 세 사람이 있습니다. B는 C보다 5살 많고, 3사람의 나이의 합은 31살입니다. 5년 후에는 A의 나이가 B와 C의 나이의 합과 같아진다고 합니다. A, B, C 3사람의 현재의 나이를 각각 구하시오.

12 아버지는 42세, 어머니는 40세이고 4자녀는 각각 12살, 8살, 4살, 2살입니다. 부모님의 나이의 합이 자녀들의 나이의 합의 2배가 되는 것은 몇 년 후입니까?

4. 같은 부분을 없애어 해결하는 문제 (소거산)

연필 3자루와 공책 5권의 값은 2100원이고, 같은 연필 3자루와 공책 8권의 값은 3000원입니다. 연필 한 자루와 공책 한 권의 값을 구하시오.

풀이

연필 수의 차이는 변화가 없으나 공책 수는 ☐권 더 증가하였습니다. 이 때문에 총

가격의 차이는 3000-2100＝☐(원)이 되었으므로 공책 한 권의 값은

☐÷(8-☐)＝☐(원), 연필 한 자루의 값은 (2100-☐×5)÷3＝☐(원)

입니다.

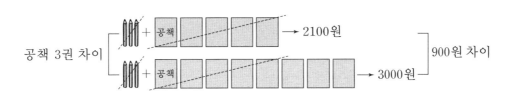

답 연필 : ☐원, 공책 : ☐원

Point

같은 부분끼리 서로 없앤 뒤, 나머지끼리의 차를 이용하여 해결합니다.

EXERCISE

한문 공책 2권과 영어 공책 3권의 값은 1900원이고, 같은 종류의 한문 공책 2권과 영어 공책 7권의 값은 3100원입니다. 각 공책 한 권씩의 값을 구하시오. (**1~3**)

1 ☐ 안에 알맞은 수를 써넣으시오.

> 한문 공책의 수는 변화가 없으나 영어 공책의 수는 ☐권 더 증가하였습니다.

2 영어 공책 한 권의 값을 구하시오.

3 한문 공책 한 권의 값을 구하시오.

1 사과 2상자와 배 5상자의 값은 124000원, 같은 사과 4상자와 배 5상자의 값은 148000원입니다. 배 한 상자의 값은 얼마입니까?

2 색종이 5묶음과 색도화지 10장의 값은 7000원이고, 같은 색종이 5묶음과 색도화지 3상의 값은 5600원입니다. 색도화지 1장과 색종이 1묶음의 가격 차를 구하시오.

3 영수네 가게에서 어느 날 호박 35개와 오이 57개를 판 가격은 25450원이었습니다. 다음 날 호박은 같은 수만큼 팔고 오이는 16개 더 팔았더니 29450원이었습니다. 호박과 오이의 한 개의 가격을 각각 구하시오.

4 감자 2 kg과 고구마 3 kg의 가격은 8400원이고, 같은 감자 6 kg과 고구마 3 kg의 가격은 14400원입니다. 고구마 6 kg의 값은 얼마입니까?

5 귤을 같은 상자에 담아 팔고 있습니다. 20개씩 들어 있는 상자의 가격은 4500원, 25개씩 들어 있는 상자의 가격은 5500원입니다. 상자만의 가격을 구하시오.

6 사과 4개와 배 5개의 값은 6000원이고, 같은 사과 4개와 배 7개의 값은 7600원입니다. 배 3개의 값을 구하시오.

7 지우개 3개와 공책 5권의 값은 1700원이고, 같은 지우개 5개와 공책 5권의 값은 2000원입니다. 공책 12권의 값은 얼마입니까?

8 초콜릿 2개와 사탕 3봉지의 값은 4300원이고, 같은 초콜릿 2개와 사탕 5봉지의 값은 6500원입니다. 초콜릿 5개의 값은 얼마입니까?

9 과자 2봉지와 사탕 4봉지의 값은 5000원이고, 같은 과자 5봉지와 사탕 8봉지의 값은 10500원입니다. 과자 3봉지의 값은 얼마입니까?

10 공책 3권과 연필 2타의 값은 4500원이고, 같은 공책 8권과 연필 4타의 값은 9600원입니다. 연필 한 타의 값은 얼마입니까?

11 과자 3봉지와 사탕 5봉지의 값은 4900원이고, 같은 과자 8봉지와 사탕 10봉지의 값은 10400원입니다. 사탕 6봉지의 값은 얼마입니까?

12 공책 5권과 연필 2타의 값은 5100원이고, 같은 공책 3권과 연필 4타의 값은 8100원입니다. 연필 한 자루의 값은 얼마입니까?

1 서로 다른 두 자연수 A, B가 있습니다. A와 B의 합은 2100이고, A의 $\frac{1}{3}$과 B의 합은 1300입니다. 자연수 B를 구하시오.

2 율기와 신영이가 가지고 있는 돈의 합은 3000원입니다. 율기가 가지고 있는 돈의 2배와 신영이가 가지고 있는 돈의 3배의 합이 8000원일 때, 율기가 가지고 있는 돈은 얼마입니까?

3 야구공 2개와 탁구공 2개를 사고 지불한 금액과, 야구공 1개와 탁구공 6개를 사고 지불한 금액은 양쪽 모두 3000원입니다. 같은 야구공 3개와 탁구공 5개를 사고 지불해야 할 금액은 얼마입니까?

4 사과 8개와 귤 20개가 들어 있는 과일 바구니의 값은 10000원이고, 같은 사과 10개와 귤 10개가 들어 있는 과일 바구니의 값은 8600원입니다. 과일 바구니의 값은 계산에 넣지 않은 것으로 할 때, 사과 15개의 값은 얼마입니까?

5 양말 3켤레와 손수건 4장의 값은 9000원이고, 같은 양말 9켤레와 손수건 10장의 값은 25200원입니다. 양말 10켤레의 값을 구하시오.

6 당근 1개의 값은 오이 1개의 값보다 80원 비싸고, 같은 당근 3개와 오이 5개의 값은 2000원입니다. 당근 한 개와 오이 한 개의 값을 각각 구하시오.

7 화장지 2개의 값은 비누 3개의 값보다 800원 싸고, 같은 화장지 1개와 비누 1개의 값은 1100원입니다. 화장지 5개의 값을 구하시오.

8 볼펜 5자루와 샤프펜슬 7자루의 값은 8500원이고, 같은 볼펜 4자루와 샤프펜슬 2자루의 값은 3200원입니다. 볼펜과 샤프펜슬 각각 한 자루의 값을 구하시오.

9 갈치 3마리와 꽁치 5마리의 값은 10000원이고, 같은 갈치 5마리와 꽁치 8마리의 값은 16400원입니다. 갈치 6마리와 꽁치 9마리를 사려면 얼마가 필요합니까?

10 서로 다른 두 자연수 A, B가 있습니다. A는 B의 5배보다 50 더 작고, A의 $\frac{1}{3}$은 B보다 30 더 큽니다. B는 얼마입니까?

11 지우개 10개와 연필 1타의 값은 2600원이고, 같은 연필 3타의 값은 지우개 67개의 값보다 40원 더 비쌉니다. 연필 한 자루의 값을 구하시오.

12 배구공 2개, 농구공 3개, 축구공 4개의 값은 모두 42000원이고, 같은 배구공 3개, 농구공 5개, 축구공 7개의 값은 모두 71000원입니다. 축구공 1개의 값은 배구공 2개의 값과 같다고 할 때, 농구공 1개의 값을 구하시오.

5. 전체의 차를 개별의 차로 나누어 해결하는 문제 (차집산)

1개에 200원 하는 연필 몇 자루를 살 작정으로 돈을 꼭맞게 가지고 갔지만 1개에 150원짜리 연필밖에 없어서 그것을 같은 수만큼 샀더니 350원이 남았습니다. 처음에 얼마를 가지고 있었습니까?

풀이

200원짜리 연필을 살 작정이었으나 150원짜리 연필을 샀으므로

한 자루당 $200-150=$ ☐ (원)씩 남는 셈입니다.

남은 전체 금액이 350원이므로 사려던 연필은 $350 \div$ ☐ $=$ ☐ (자루)입니다.

따라서 처음에 가지고 있던 돈은 $200 \times$ ☐ $=$ ☐ (원)입니다.

즉, 전체의 차는 350원이고 개별의 차는 $200-150=$ ☐ (원)이므로 연필의 개수는

$350 \div (200-150)=$ ☐ (자루), 처음에 가지고 있던 돈은 $200 \times$ ☐ $=$ ☐ (원)이 됩니다.

답 ☐ 원

Point

(전체의 차) ÷ (개별의 차) = (개수)

EXERCISE

한 개에 500원 하는 물건 몇 개를 꼭맞게 살만큼의 돈으로 350원짜리 물건을 같은 개수만큼 사면 1200원이 남습니다. 물건은 몇 개를 살 예정이었는지 구하시오. (**1~3**)

1 500원짜리 대신 350원짜리 물건으로 산다면 한 개당 얼마씩 남는 셈입니까?

2 남은 전체 금액은 얼마입니까?

3 사려던 물건의 개수를 구하시오.

1 신영이는 250원짜리 공책을, 상연이는 300원짜리 공책을 각각 같은 권수만큼 샀습니다. 상연이가 신영이보다 500원 더 썼다면, 신영이는 얼마를 썼습니까?

2 사과와 귤을 각각 5개씩 샀습니다. 사과 5개의 값이 귤 5개의 값보다 1250원 비쌌다면, 사과 1개의 값은 귤 1개의 값보다 얼마나 비쌉니까?

3 율기는 매달 2500원씩, 가영이는 매달 2000원씩 동시에 저금을 시작하였습니다. 몇 달 뒤 저금한 금액을 비교해 보니 율기가 4500원 더 많았습니다. 율기와 가영이는 몇 개월 동안 저금을 한 셈입니까?

4 포장해야 할 물건이 여러 개 있습니다. 물건 한 개당 100원짜리 포장지를 사용하면 80원짜리 포장지를 사용할 때보다 1260원이 더 듭니다. 포장해야 할 물건은 몇 개입니까?

5 어느 학급에서 불우이웃돕기 성금을 한 학생당 450원씩 걷으려 했지만 걷기에 불편한 점이 있어 500원씩 걷었더니, 처음에 걷으려던 성금보다 1900원이 더 걷혔습니다. 처음에 걷으려던 성금은 얼마였습니까?

6 한 개에 300원 하는 과자를 몇 개 사려고 돈을 꼭맞게 준비하여 가게로 갔으나 한 개에 200원 하는 과자밖에 없어서 200원짜리 과자로 같은 개수만큼 샀더니 800원이 남았습니다. 준비하여 간 돈은 얼마였습니까?

7 한 개에 250원 하는 물건을 사면 한 개에 300원 하는 물건보다 4개 더 살 수 있는 돈이 있습니다. 이 돈으로 한 개에 250원 하는 물건은 몇 개 살 수 있습니까?

8 같은 수의 빨간색 구슬과 파란색 구슬이 있습니다. 이것을 몇 개의 주머니에 빨간색 구슬은 12개씩, 파란색 구슬은 15개씩 섞어 넣었더니 빨간색 구슬만 18개 남았습니다. 구슬은 합하여 몇 개 있었습니까?

9 매일 30쪽씩 읽으면 예정한 날 수에 꼭맞게 읽을 수 있는 책이 있습니다. 그러나 하루에 25쪽씩 밖에 읽지 못하여 예정한 날 수만큼 읽었을 때는 35쪽이 남게 되었습니다. 이 책은 몇 쪽짜리입니까?

10 한 개에 1200원 하는 물건 몇 개를 살만큼의 돈을 가지고 있습니다. 이 돈으로 한 개에 900원 하는 물건을 사면, 2개를 더 사고 600원이 남습니다. 가지고 있는 돈은 얼마입니까?

11 집에서 친구 집까지 1분 동안 80 m를 걷는 빠르기로 걸으면 1분 동안 65 m를 걷는 빠르기로 걷는 것보다 6분 빨리 도착합니다. 1분 동안 65 m를 걷는 빠르기로 걷는다면 몇 분 만에 친구 집에 도착합니까?

12 예슬이는 1분에 100 m를 걸을 예정이었으나 1분에 90 m씩 걸었기 때문에 예정보다 4분 늦게 목적지에 도착하였습니다. 목적지까지의 거리는 몇 m입니까?

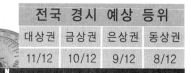
1 율기는 매일 1시간 20분씩, 가영이는 매일 50분씩 공부를 합니다. 율기와 가영이가 동시에 공부하기 시작한 지 며칠 뒤, 공부한 시간을 비교하여 보니 율기가 공부한 시간이 6시간 30분 더 많았습니다. 율기와 가영이는 며칠 동안 공부하였습니까?

2 한별이는 공책을 사러 문방구점에 갔습니다. 값이 비싼 공책을 8권 사면 1100원이 남고, 그보다 200원씩 더 싼 공책을 17권 사면 돈은 꼭 맞습니다. 한별이는 돈을 얼마 가지고 갔습니까?

3 집에서 삼촌댁까지 가는데 1분 동안 100 m를 가는 빠르기로 걸으면 1분 동안 80 m를 걷는 빠르기로 걷는 것보다 5분 일찍 도착할 수 있다고 합니다. 집에서 삼촌댁까지의 거리는 몇 m입니까?

4 어느 과일 가게에서 1개에 600원에 팔던 사과를 오늘은 120원 할인하여 팔았더니 어제보다 80개 더 많이 팔렸고, 매출은 어제보다 20400원 더 많아졌습니다. 오늘 팔린 사과의 개수를 구하시오.

5 같은 크기의 물통 2개가 있습니다. 하나는 A 수도관으로, 다른 하나는 B 수도관으로 동시에 물을 넣기 시작하였습니다. A 수도관에서는 1초에 120 mL씩, B 수도관에서는 1초에 150 mL씩 물이 나오며, A 수도관 쪽의 물통이 B 수도관 쪽보다 15초 늦게 가득 채워졌습니다. 물통의 들이는 몇 L입니까?

6 상연이는 1자루에 200원 하는 연필을, 율기는 1자루에 250원 하는 연필을 샀습니다. 산 연필의 자루 수는 율기가 3자루 많고, 연필 값도 율기가 1200원 더 많이 냈습니다. 이때, 율기가 산 연필은 몇 자루입니까?

7 율기는 매달 1500원씩, 가영이는 매달 1100원씩 저금을 하고 있습니다. 가영이가 율기보다 2달 먼저 저금을 시작했지만, 어느 달에 가서 율기의 저금액이 가영이보다 200원 더 많아졌습니다. 율기가 저금을 시작한 지 몇 개월 만입니까?

8 A 지점에서 B 지점까지 가는 데 6시간 걸리는데, 처음 예정했던 빠르기보다 1시간당 10 km씩 더 빠르게 가면 1시간 빨리 도착한다고 합니다. 이때, A, B 양 지점 사이의 거리를 구하고, 처음에는 1시간당 몇 km의 빠르기로 갈 예정이었는지 구하시오.

9 어떤 놀이 공원에서 1200원인 입장료를 1000원으로 내렸더니, 전날보다 입장한 사람 수가 300명 더 많아졌고 입장료 수입도 전날보다 60000원 더 많았습니다. 전날의 입장료 수입은 얼마입니까?

10 A지점에서 B지점까지 가는데, 매시간 91 km의 빠르기로 가는 것과 매시간 65 km의 빠르기로 가는 것과는 2시간의 차가 생깁니다. A, B 사이의 거리를 구하시오.

11 율기는 1개에 300원 하는 사과와 1개에 500원 하는 배를 합하여 12개 살 만큼의 돈을 가지고 과일 가게로 갔습니다. 그런데, 사려던 개수를 서로 반대로 하여 샀기 때문에 400원이 남았습니다. 율기가 가지고 간 돈은 얼마입니까?

12 사과, 귤, 배 한 개씩의 값은 각각 600원, 300원, 900원입니다. 이것들을 각각 몇 개씩 사고 13200원을 지불했습니다. 만일 귤과 사과의 개수를 반대로 하여 산다면 14700원이 되며 귤과 배의 개수를 반대로 하여 산다면 20400원이 됩니다. 귤은 몇 개 샀습니까?

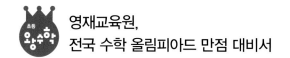

응용
왕수학
정답과 풀이

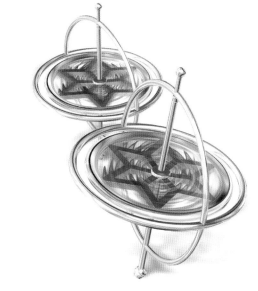

4 학년

(주)에듀왕
www.왕수학.com

영재교육원,
전국 수학 올림피아드 만점 대비서

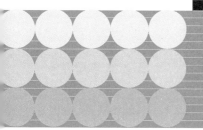

정답
&풀이

1. 큰 수

풀이

(1) 987654321, 102345678, 987654321,
102345678, 885308643

(2) 987654320, 987654312, 102345679, 102345687
987654312, 102345687, 1089999999

답 (1) 885308643 (2) 1089999999

EXERCISE 1

1 578615794, 578595794

2 (1) 95764310 (2) 10934567

3 454299665

[풀이]

1 578605794보다 1만 큰 수 : 578615794
578605794보다 1만 작은 수 : 578595794

2 (1) 백만의 자리의 숫자가 5인 가장 큰 수 :
95764310
(2) 십만의 자리의 숫자가 9인 가장 작은 수 :
10934567

3 가장 큰 수 : 554422110
가장 작은 수 : 100122445
따라서 두 수의 차는
554422110−100122445=454299665입니다.

풀이

12, 12, 13, 12, ⓒ, ⓛ, ㉠, ㉣, ⓒ, ⓛ, ㉠, ㉣
답 ⓒ, ⓛ, ㉠, ㉣

EXERCISE 2

1 0, 1, 2, 3, 4, 5 2 ㉣, ⓛ, ⓒ, ㉠
3 20000배

[풀이]

1 □ 안에 들어갈 수 있는 숫자는 5와 같거나 5보다 작은 숫자입니다.

2 ㉠, ⓛ, ⓒ은 아홉 자리 수이고, ㉣은 열 자리 수이므로 ㉣이 가장 큽니다. ㉠, ⓛ, ⓒ은 자릿수가 같으므로 □ 안에 9를 넣고 앞 자리의 숫자부터 차례로 비교해 보면 ⓛ>ⓒ>㉠입니다.

따라서 가장 큰 수부터 차례로 기호를 쓰면
㉣, ⓛ, ⓒ, ㉠입니다.

3 ㉮가 나타내는 수 : 40억
㉯가 나타내는 수 : 20만
따라서 ㉮가 나타내는 수는 ㉯가 나타내는 수의 20000배입니다.

1 (1) 사십조 삼천이십억 천오십만 육천칠십
(2) 이천육백오십사조 삼천구백팔십칠억
육십사만 칠천구백

2 8012345679 3 90만

4 99999999개 5 20만 배

6 8, 9 7 7654203

8 (1) 99775050 (2) 50057997

9 58조 400억, 63조 600억

10 58억 km 11 ㉠, ⓒ, ⓛ

12 1600 km 13 6630865

14 3430060 15 543201, 102354

16 8년 4개월 17 ③

18 ② 19 700 m

20 ⓛ, ⓒ, ㉣, ㉠

[풀이]

1 큰 수를 읽을 때에는 4자리씩 나누어 읽으면 편리합니다.

2 80억보다 큰 수 중 80억에 가장 가까운 수는 8012345679이므로 80억과의 차는 12345679입니다.
80억보다 작은 수 중 80억에 가장 가까운 수는 7986543210이므로 80억과의 차는 13456790입니다.
따라서 80억에 가장 가까운 수는 8012345679입니다.

3 100만보다 99작은 수 : 999901
10만보다 99 작은 수 : 99901
따라서 두 수의 차는 900000입니다.

4 15억보다 크고 16억보다 작은 자연수는 15억 1부터 15억 9999만 9999까지 9999만 9999개입니다.

5 ㉮가 나타내는 수 : 6천만

㉯가 나타내는 수 : 3백

따라서 ㉮가 나타내는 수는 ㉯가 나타내는 수의 20만 배입니다.

6 두 수에서 십만의 자리의 숫자와 만의 자리의 숫자가 각각 같으므로 천의 자리를 비교해 보면, □ 안에 알맞은 숫자는 7보다 큰 8, 9입니다.

7 가장 큰 수 : 7654320

두 번째로 큰 수 : 7654302

세 번째로 큰 수 : 7654230

네 번째로 큰 수 : 7654203

8 (1) 가장 큰 수 : 99775500

두 번째로 큰 수 : 99775050

(2) 가장 작은 수 : 50057799

두 번째로 작은 수 : 50057979

세 번째로 작은 수 : 50057997

9 가장 큰 수와 가장 작은 수의 차는

15조 600억이므로

15조 600억÷3=5조 200억씩 뛰어 센 것입니다.

| 53조 200억 | 58조 400억 | 63조 600억 | 68조 800억 |

10 580 m의 100억 배=5800000000000 m

=5800000000 km

=58억 km

11 ㉠의 ■ 안에 0, ㉢의 ■ 안에 9를 넣어도

㉠>㉢입니다.

㉢의 ■ 안에 0, ㉡의 ■ 안에 9를 넣어도

㉢>㉡입니다.

따라서 ㉠>㉢>㉡입니다.

12 10억 개는 100개의 1천만 배이므로 160 mm의 1천만 배는 1600000000 mm=1600 km입니다.

13 가장 큰 수 : 7654321

가장 작은 수 : 1023456

두 수의 차 : 6630865

14 10이 276개 ➡ 2760

100이 3개 ➡ 300

1000이 27개 ➡ 27000

10000이 340개 ➡ 3400000

따라서 네 수의 합은 3430060입니다.

15 가장 큰 수 : 543210

두 번째로 큰 수 : 543201

가장 작은 수 : 102345

두 번째로 작은 수 : 102354

16 5000만 명이 한 달에 10000원씩 저금하면 한 달 저금액은 5000억 원이므로 50조 원을 저금하려면 100개월 즉, 8년 4개월이 걸립니다.

17 ① 이천칠백만 구백 : 27000900 ➡ 5개

② 육백만 구십 : 6000090 ➡ 5개

③ 구천만 오백 : 90000500 ➡ 6개

④ 사천육백칠십팔만 : 46780000 ➡ 4개

⑤ 삼천이백만 구십오 : 32000095 ➡ 4개

18 ① 10자리 수   ② 11자리 수   ③ 10자리 수

④ 10자리 수   ⑤ 10자리 수

따라서 가장 큰 수는 ②입니다.

19 만 원짜리 100장은 100만 원이고 1000억 원은 100만 원의 10만 배입니다.

7 mm의 10만 배=700000 mm=700 m

20 ㉠ 22300050   ㉡ 90901234

㉢ 56000629   ㉣ 56000069

따라서 ㉡>㉢>㉣>㉠입니다.

왕중왕 문제 15~20

1 10만 개	**2** 66억 6666만 6653
3 7억 9865만 4321	**4** 600배
5 ②	**6** 15
7 14개	**8** 10만 배
9 74293806	**10** 1
11 597, 974	
12 155066, 207386, 312026	
13 가장 큰 수 : 66633300, 가장 작은 수 : 30003366	
14 183295500	**15** ①
16 39	**17** 498478
18 100만 개	**19** 98699999
20 9876543개	

[풀이]

1 백만의 자리의 숫자가 7인 일곱 자리 수 중에서 가장 큰 수는 7999999이므로

7999999−7899999＝100000(개)입니다.

2 가장 큰 수 : 66억 6666만 6666
10자리 수의 끝의 두 자리를 살펴보면 66, 65, 64, 63, 62, 61, 56, 55, 54, ⑤③, ⋯
10번째가 53이므로 10번째로 큰 수는
66억 6666만 6653입니다.

3 8억보다 작으면서 8억에 가장 가까운 수는
7억 9865만 4321이므로 8억과의 차는 1345679입니다.
8억보다 크면서 8억에 가장 가까운 수는
8억 1234만 5679이므로 8억과의 차는 12345679입니다.
따라서 8억에 더 가까운 수는 7억 9865만 4321입니다.

4 600억÷1000＝6000만
6000만÷10만＝600(배)

5 ①, ②, ③, ④는 11자리 수이고, ⑤는 10자리 수이므로 ⑤는 가장 작은 수입니다.
앞 자리에서부터 다섯 자리까지 비교하면
① 79904 ② 799□6 ③ 79□02 ④ 79902
②의 □ 안에 0을 넣더라도 ②가 가장 큰 수가 됩니다.

6 □ 안에 0, 1, 2, 3, 4, 5가 들어갈 수 있으므로
0＋1＋2＋3＋4＋5＝15입니다.

7 9876541230보다 큰 수의 개수는 끝의 네 자리의 숫자 1, 2, 3, 0을 이용하여 1230보다 큰 수를 만드는 경우의 개수와 같습니다.
1302, 1320 ➡ 2개
2013, 2031, 2103, 2130, 2301, 2310 ➡ 6개
3012, 3021, 3102, 3120, 3201, 3210 ➡ 6개
따라서 2＋6＋6＝14(개) 만들 수 있습니다.

8 가장 큰 수 : 98765432
가장 작은 수 : 10234567
따라서 700000÷7＝100000(배)입니다.

9   ㉠㉡ 2 9 3 8 0 6
   − ㉡㉠ 2 9 3 8 0 6
      2 7 0 0 0 0 0 0
㉠과 ㉡의 차가 3이고 합이 11인 수는 ㉠이 7, ㉡이 4입니다. 따라서 처음 수는 74293806입니다.

10 A가 3보다 크거나 같을 경우 가장 큰 수의 만의 자리의 숫자는 6과 같거나 크고, 가장 작은 수의 만의 자리의 숫자는 3이 되므로 그 합의 만의 자리의 숫자는 7이 될 수 없습니다.
A가 2일 때, 가장 큰 수의 만의 자리의 숫자는 6이 되고, 가장 작은 수의 만의 자리의 숫자는 2가 되므로 그 합의 만의 자리의 숫자는 7이 될 수 없습니다.
A가 1일 때, 가장 큰 수는 65431, 가장 작은 수는 13456이므로 65431＋13456＝78887입니다.

11 만들 수 있는 가장 큰 여섯 자리 수는 497974이므로 10만 큰 수는 597974입니다.
따라서 천이 597개, 일이 974개입니다.

12 (259706−102746)÷3＝52320씩 뛰어세기 한 것이므로
102746＋52320＝155066
155066＋52320＝207386
259706＋52320＝312026

13 가장 큰 수의 일의 자리의 숫자는 0이고 차의 일의 자리의 숫자가 4이므로 가장 작은 수의 일의 자리의 숫자는 6입니다. 세 숫자 중 6이 가장 큰 수이고 차의 천만의 자리의 숫자가 3이므로 보이지 않는 숫자 카드의 숫자는 3입니다.
따라서 가장 큰 수는 66633300, 가장 작은 수는 30003366입니다.

14 1억 2000만＋5800만＋270만＋256만＋3만 5000＋500＝1억 8329만 5500

15 ① 46조＋1조 8960억＝47조 8960억
② 4조 6900억
③ 46조 ■■60억
④ 46조 8960억 1
⑤ 6655억 4433만 2211

16   24000000000
       290000000
         5270000
           32700
    ＋   46
    24295302746
그러므로,
    28195302746
    −24295302746
     3900000000
따라서 1억이 39개입니다.

17 136615−96408=40207이므로 한 번씩 뛰어서 셀 때마다 40207씩 늘어납니다.
10번 뛰어 11번째가 되는 수는
96408+(40207×10)=498478이 되어 50만에 가장 가깝습니다.

18 가장 작은 수 : 86000000
가장 큰 수 : 86999999
(86999999−86000000)+1=1000000(개)

19 98699000<□□□□□999<98700000
따라서 □□□□□999는 98699999입니다.

20 가장 큰 수 : 9876543210
9876543210÷1000=9876543 … 210
따라서 9876543개까지 살 수 있습니다.

2. 곱셈과 나눗셈

s e a r c h 탐구 22

풀이
1, 1, 1, 3, 7, 21, 7, 3, 21, 9, 9, 81, 7, 3, 9, 3, 327, 0

답 3, 7, 0, 3, 3, 8, 3, 1, 7

EXERCISE 1

1 풀이 참조　　　　　**2** 89900원

[풀이]

1 □×8의 일의 자리의 숫자가 4이므로 □는 3 또는 8이고 십의 자리의 숫자와 6×8의 일의 자리의 숫자의 합이 0이 되는 수는 2이므로 □×8=24입니다. 따라서 □는 3이 됩니다.
이와 같은 방법으로 구하면 다음과 같이 됩니다.

```
      7 6 3
    ×  2 7 8
    6 1 0 4
  5 3 4 1
1 5 2 6
2 1 2 1 1 4
```

2 사과 한 개를 팔아서 얻은 이익 :
850−540=310(원)
사과 290개를 팔아서 얻은 이익 :
310×290=89900(원)

s e a r c h 탐구 23

풀이
4, 4, 5, 57, 3

답 5, 4, 3, 2, 2, 1, 4, 7, 1, 3

EXERCISE 2

1 풀이 참조　　　　　**2** 966상자, 44개

[풀이]

1
```
        3 7
  4 9 )1 8 2 5
        1 4 7
        3 5 5
        3 4 3
          1 2
```

2 65732÷68=966 … 44
따라서 966상자가 되고 44개가 남습니다.

왕 문제 24~29

1 3900, 3938
2 (1) A : 3, B : 2
　　(2) A : 7, B : 1, C : 4, D : 2, E : 8
3 911　　　　　**4** 99924
5 12　　　　　**6** 풀이 참조
7 16　　　　　**8** 13초
9 180원　　　　**10** 26개
11 풀이 참조　　　**12** 2160원
13 (1) 402　　(2) 35　　(3) 32
14 효근 : 4800원, 석기 : 5800원, 한별 : 4400원
15 ㉠ : 2, ㉡ : 5, ㉢ : 3
16 학생 수 : 523명, 공책 수 : 4161권
17 13문제
18 (1) 풀이 참조　　(2) 풀이 참조
19 91점　　　　**20** 몫 : 11, 나머지 : 45

[풀이]

1 나머지가 0일 때 가장 작은 수가 되므로

㉮＝39×100＝3900입니다.

나머지가 38일 때 가장 큰 수가 되므로

㉮＝39×100＋38＝3938입니다.

2 (1)
```
      8 A A B
   ×       4
   3 A A B 8
```
B×4＝8에서 B는 2 또는 7입니다. B가 7일 때, A×4의 일의 자리의 숫자가 5이므로 식이 성립하지 않습니다. 따라서 B는 2일 때, A×4의 일의 자리의 숫자가 2이므로 A는 3 또는 8이고, 위의 식을 만족시키는 A는 3입니다.

(2)
```
      5 A B C D E
   ×             3
   1 A B C D E 4
```
E×3의 일의 자리의 숫자가 4이므로 E는 8입니다. D×3의 일의 자리의 숫자가 8−2＝6이므로 D는 2입니다. 이와 같은 방법으로 나머지 문자가 나타내는 숫자를 알아보면 A는 7, B는 1, C는 4입니다.

3 어떤 세 자리 수는 90×□□＋11이 되며, 몫은 두 자리 수이므로 10보다 크거나 같아야 합니다. 따라서 몫이 10일 때, 어떤 세 자리 수는 90×10＋11＝911이고, 몫이 11일 때 90×11＋11＝1001이 되어 네 자리 수가 되므로 어떤 세 자리 수는 911이 됩니다.

4 99999÷327＝305 … 264

따라서 327×305＋189＝99924입니다.

5 60□의 □ 안에 0을 넣으면 600÷37＝16 … 8이므로 나머지가 13이 되기 위해서는 600보다 5 큰 수인 605가 되어야 합니다.

605÷37＝16 … 13이므로 □ 안에 알맞은 숫자는 차례로 5, 1, 6입니다. ➡ 5＋1＋6＝12

6
```
         2 6
   3 7 ) 9 7 6
         7 4
         2 3 6
         2 2 2
             1 4
```

7 39×82＝3198이고, 39×83＝3237이므로 네 자리 수는 3214입니다.

따라서 나머지는 3214−3198＝16입니다.

8 기차는 1초에 90000÷60÷60＝25(m)씩 달리므로 철교를 완전히 건너는 데는

(238＋87)÷25＝13(초)가 걸립니다.

9 (연필 한 자루의 값)＝4200÷12＝350(원)

(연필 8자루와 공책 9권의 값)＝350×8＋780×9

＝9820(원)

(거스름 돈)＝10000−9820＝180(원)

10 585÷26＝22 … 13에서 □ 안에는 22보다 큰 수가 들어가야 하고 820÷17＝48 … 4에서 □ 안에는 1부터 48까지 들어갈 수 있습니다.

따라서 □ 안에 공통으로 들어갈 수 있는 자연수는 23부터 48까지의 수이므로

48−23＋1＝26(개)입니다.

11 6÷6＋6−6＝1

6÷6＋6÷6＝2

(6＋6＋6)÷6＝3

6−(6＋6)÷6＝4

(6×6−6)÷6＝5

(6−6)×6＋6＝6

(6×6＋6)÷6＝7

(6＋6)÷6＋6＝8

이 외에도 여러 가지가 있습니다.

12 1시간 30분은 90분이므로 90×4＝360(분) 빌려 탄 셈입니다.

따라서 내야할 돈이 300×(360÷10)＝10800(원)이므로 한 명이 내야 하는 돈은

10800÷5＝2160(원)입니다.

13 (1) $\begin{vmatrix} 34 & 12 \\ 9 & 15 \end{vmatrix}$ ＝34×15−12×9＝402

(2) $\begin{vmatrix} □ & 85 \\ 24 & 70 \end{vmatrix}$ ＝□×70−85×24＝410

□×70＝410＋2040

□×70＝2450

□＝35

(3) $\begin{vmatrix} 26 & □ \\ 14 & 46 \end{vmatrix}$ ＝26×46−□×14＝748

□×14＝26×46−748

□×14＝448

□＝32

14 한별이가 가진 돈 : □원

효근이가 가진 돈 : $2 \times □ - 4000$(원)

석기가 가진 돈 : $□ + 1400$(원)

$□ + (2 \times □ - 4000) + (□ + 1400) = 15000$

$□ \times 4 = 17600$

$□ = 4400$

따라서 한별이는 4400원,

효근이는 $2 \times 4400 - 4000 = 4800$(원),

석기는 $4400 + 1400 = 5800$(원)을 가졌습니다.

15

$$
\begin{array}{r}
㉠㉡㉢ \\
\times\ ㉠㉡㉢ \\
\hline
\square\square 9 \\
\square\square 5 \\
\square\square 6 \\
\hline
6\ 4\ 0\ \square\ 9
\end{array}
$$

㉢×㉢의 일의 자리의 숫자가 9이므로 ㉢은 3 또는 7이고, 식을 만족시키는 ㉢은 3입니다.

㉡×㉢의 일의 자리의 숫자가 5이므로 ㉡은 5이고, ㉠×㉢의 일의 자리의 숫자가 6이므로 ㉠은 2입니다.

16 8권씩 주면 23권이 부족하고,

6권씩 주면 1023권이 남으므로

학생 수는 $(1023 + 23) \div (8 - 6) = 523$(명)이고

공책 수는 $523 \times 8 - 23 = 4161$(권)입니다.

17 모두 맞았다고 가정하면 $25 \times 8 = 200$(점)을 얻으므로 $(200 - 68) \div (8 + 3) = 12$(문제)를 틀렸습니다.

따라서 $25 - 12 = 13$(문제)를 맞았습니다.

18 (1)

$$
\begin{array}{r}
1\ \boxed{6} \\
\boxed{1}\,2\ )\,1\ 9\ 2 \\
\hline
1\ 2 \\
\hline
7\ 2 \\
\boxed{7}\,2 \\
\hline
0
\end{array}
$$

(2)

$$
\begin{array}{r}
2\ \boxed{4} \\
3\ \boxed{3}\ )\,7\ \boxed{9}\ 2 \\
\hline
6\ \boxed{6} \\
\hline
1\ 3\ \boxed{2} \\
1\ 3\ \boxed{2} \\
\hline
0
\end{array}
$$

19 한별이의 1학기 말 총점 : $87 \times 4 = 348$(점)

한별이의 2학기 말 총점 : $348 + (4 + 8 + 5 - 1)$
$\qquad\qquad\qquad\qquad = 364$(점)

따라서 2학기 말 평균 점수는 $364 \div 4 = 91$(점)

20 어떤 수 : $45 \times 14 + 9 = 639$

따라서 $639 \div 54 = 11 \cdots 45$이므로 몫은 11, 나머지는 45입니다.

왕중왕 문제 30~35

1 5가지   **2** 99699

3 108   **4** 132

5 980001998   **6** 23개

7 33개   **8** 9805, 72

9 4개   **10** 7

11 A : 1, B : 0, C : 5, D : 2, E : 6

12 (1) 풀이 참조   (2) 풀이 참조

13 풀이 참조   **14** 37명

15 8명   **16** 665 m

17 510원

18 (1) 14   (2) 65

19 2992개   **20** 998

[풀이]

1 $24 \times 33 = 792$이고 $24 \times 34 = 816$이므로 만든 세 자리 수는 792보다 크고 816보다 작은 수입니다. 따라서 만들 수 있는 세 자리 수는 793, 795, 798, 813, 815로 5가지입니다.

2 다섯 자리 수 중 가장 큰 수는 99999이므로 $99999 \div 997 = 100 \cdots 299$이므로 몫이 99이고 나머지가 996일 때 몫과 나머지의 합이 가장 큽니다. 따라서 구하는 수는 $997 \times 99 + 996 = 99699$입니다.

3 잘못 계산한 곱 : $29 \times 104 + 116 = 3132$

다른 수 : $3132 \div 29 = 108$

4 어떤 수를 □라 하면,

$(□ + 6) \times 8 - (□ + 8) \times 6 = 264$

$□ \times 8 + 48 - □ \times 6 - 48 = 264$

$□ \times 2 = 264$

$□ = 132$

5 거꾸로 계산하면

$□ \div 700 - 1998 = 2$

$□ = (2 + 1998) \times 700$

$□ = 1400000$입니다.

따라서 바르게 계산하면

$1400000 \times 700 + 1998 = 980001998$입니다.

6 27로 나눌 때 가장 큰 나머지는 26이므로 구하고자 하는 수 중 가장 큰 수는 몫과 나머지가 26인 수 $27 \times 26 + 26 = 728$입니다.

세 자리 수 중 가장 작은 수는 $27 \times 4 + 4 = 112$이

므로 구하는 수는 나머지가 4인 수부터 26까지인 수입니다. ➡ $26-4+1=23$(개)

7 세 자리 수 중 가장 큰 수는 999이므로
$999÷27=37$에서 나머지가 15인 수 중 가장 큰 세 자리 수는 $27×36+15=987$입니다.
또한 나머지가 15인 수 중 가장 작은 세 자리 수는 $27×4+15=123$입니다. 따라서 구하고자 하는 수는 27에 곱하는 수가 4부터 36까지이므로 $36-4+1=33$(개)입니다.

8 $98\square\square÷136=\square\square\cdots13$에서
$9800÷136=72\cdots8$, $9899÷136=72\cdots107$이므로 몫은 72이고, 나누어지는 수는 $136×72+13=9805$입니다.

9 ㉠에서 나누어지는 수는 $\square07$, $\square32$, $\square57$, $\square82$로 나타낼 수 있습니다.
㉡에서 각 자리의 숫자의 합이 14가 되는 수는 707, 932, 257, 482로 모두 4개입니다.

10 숫자가 모두 같은 나눗셈이므로
$\square\square\square\square\square÷\square\square\square=10\cdots\square$에서 나머지가 7이면 $\square$는 7입니다.

11 $ABC×C=CDC$에서 C는 1 또는 5 또는 6이고
$D-B=D$에서 B는 0입니다.
$A0C×D=DA0$에서 C는 1이 될 수 없고 C가 6일 때 D는 5, A는 3이어야 하므로 식이 성립되지 않습니다.
따라서 C는 5이고 $A05×5=5D5$에서 D는 2, A는 1입니다.

12 (1)
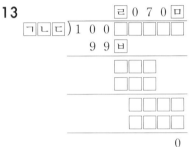

$2×ㄷ$의 일의 자리의 숫자가 2이므로 ㄷ은 1 또는 6이고, $ㄱㄴ2×ㄷ$이 네 자리 수가 되려면 ㄷ은 6이어야 합니다. $ㄴ×ㄷ$의 일의 자리의 숫자가 8이므로 ㄴ은 3 또는 8이고 $ㄱㄴ×3=18\square$이므로 ㄴ은 3, ㄱ은 6입니다. 따라서 $\square$ 안에 알맞은 숫자는 다음과 같습니다.

```
        6 3 2
    ×     3 6
    3 7 9 2
  1 8 9 6
  2 2 7 5 2
```

(2)
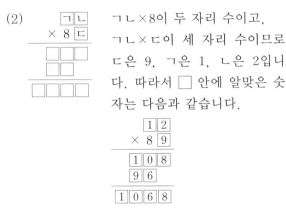

$ㄱㄴ×8$이 두 자리 수이고, $ㄱㄴ×ㄷ$이 세 자리 수이므로 ㄷ은 9, ㄱ은 1, ㄴ은 2입니다. 따라서 $\square$ 안에 알맞은 숫자는 다음과 같습니다.

```
        1 2
    ×   8 9
    1 0 8
    9 6
  1 0 6 8
```

13
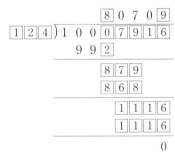

$ㄱㄴㄷ×7$이 세 자리 수이므로 ㄱ은 1입니다.
$1ㄴㄷ×7$은 $1ㄴㄷ×ㄹ=99ㅂ$보다 클 수 없으므로 ㄹ은 7 또는 8 또는 9입니다. 그러나 세 자리 수에서 $1ㄴㄷ×7$을 뺀 수가 두 자리 수이고, 네 자리 수에서 $1ㄴㄷ×ㄹ$을 뺀 수가 한 자리 수이므로 7이 될 수 없습니다.
또한, $1ㄴㄷ×ㄹ$은 세 자리 수이고, $1ㄴㄷ×ㅁ$은 네 자리 수이므로 ㄹ은 8, ㅁ은 9입니다.
$ㄱㄴㄷ×8=99ㅂ$이므로 $990÷8=123\cdots6$, $999÷8=124\cdots7$에서 $ㄱㄴㄷ=124$입니다.
따라서 $\square$ 안에 알맞은 숫자는 다음과 같습니다.

```
              8 0 7 0 9
  1 2 4 ) 1 0 0 0 0 7 9 1 6
          9 9 2
              8 7 9
              8 6 8
              1 1 1 6
              1 1 1 6
                    0
```

14 한 명에게 3자루씩 더 주는 데 111자루가 필요하므로 사람 수는 $111÷3=37$(명)입니다.

15 $(400×120-500×70)÷1625=8$(명)

16 터널을 완전히 통과하는 데 기차가 간 거리 :
$25×32=800$(m)
(터널의 길이)$=800-135=665$(m)

17 공책 1권 값은 $3600 \div 7 = 514 \cdots 2$, $3600 \div 8 = 450$
공책의 값은 450원보다 많고 514원과 같거나 적습니다. 이 중 가장 비싼 값은 510원입니다.

18 (1) $\{26\} = 3 + 5 = 8$
$[26] = 5 + 1 = 6$
따라서 $\{26\} + [26] = 8 + 6 = 14$입니다.

(2)

수	64	65	66	67	68	69	70
5로 나눈 몫	12	13	13	13	13	13	14
7로 나눈 몫	9	9	9	9	9	9	10
합	21	22	22	22	22	22	24

이 중 $\{A\} = 22$, $[A] = 2$인 수는 65입니다.

19 상자의 수 : $(32 + 346) \div (72 - 63) = 42$(상자)
사과의 개수 : $42 \times 72 - 32 = 2992$(개)

20 짝수 번째 묶음의 수의 합에서 규칙을 찾아봅니다.
두 번째 묶음 : $8 + 10 = 18$,
네 번째 묶음 : $18 + 20 = 38$,
여섯 번째 묶음 : $28 + 30 = 58$,
짝수 번째의 묶음 수의 합은 18, 38, 58, …로 20씩 늘어납니다.
따라서 100번째 묶음에 있는 수의 합은
$18 + 20 \times 49 = 998$입니다.

3. 분수의 덧셈과 뺄셈

search 탐구 37

풀이

4, 3, 6, 13, 1, 5

답 1, 5

EXERCISE 1

1 $2\frac{2}{5}$ kg

2 $2\frac{1}{8}$ m

3 $1\frac{4}{5}$ L

4 603 g

[풀이]

1 $\frac{3}{5} + \frac{3}{5} + \frac{2}{5} + \frac{2}{5} + \frac{2}{5} = \frac{12}{5} = 2\frac{2}{5}$(kg)

2 $\frac{6}{8} + \frac{6}{8} + \frac{5}{8} = \frac{17}{8} = 2\frac{1}{8}$(m)

3 $\frac{2}{5} + \frac{3}{5} + \frac{4}{5} = \frac{9}{5} = 1\frac{4}{5}$(L)

4 $120\frac{3}{5} = 120 + \frac{3}{5}$이므로
$(120 \times 5) + \left(\frac{3}{5} + \frac{3}{5} + \frac{3}{5} + \frac{3}{5} + \frac{3}{5}\right)$
$= 600 + \frac{15}{5} = 600 + 3 = 603$(g)

search 탐구 38

풀이

1, 2, 1, 2, 3, 3, 3, 3, 9, 9, 3

답 3

EXERCISE 2

1 있습니다.

2 6분

[풀이]

1 두 사람이 1시간 동안 간 밭의 양 :
전체의 $\frac{4}{12} + \frac{2}{12} = \frac{6}{12}$
따라서 2시간 동안 밭을 갈고 남은 밭은
$1 - \frac{6}{12} - \frac{6}{12} = 0$입니다.
즉 2시간 동안 밭을 모두 갈 수 있습니다.

2 쥐 2마리가 1분에 먹는 빵의 양 :
전체의 $\frac{1}{18} + \frac{2}{18} = \frac{3}{18}$
따라서 $1 - \frac{3}{18} - \frac{3}{18} - \frac{3}{18} - \frac{3}{18} - \frac{3}{18} - \frac{3}{18} = 0$
즉, 빵을 모두 먹는 데는 6분이 걸립니다.

왕 문제 39~44

1 $4\frac{3}{12}$

2 37개

3 $5\frac{11}{13}$

4 $138\frac{3}{8}$ L

5 $10\frac{3}{4}$ cm

6 9

7 $1\frac{4}{5}$ m

8 $9\frac{4}{5}$ m

9 $5\dfrac{6}{30}$　　**10** $1\dfrac{15}{25}$ kg

11 $1\dfrac{20}{32}$ km　　**12** $4\dfrac{35}{50}$ L

13 $3\dfrac{12}{16}$ m　　**14** 230쪽

15 $\dfrac{25}{8}$　　**16** 2초

17 $7\dfrac{3}{9}$　　**18** $\dfrac{127}{15}$

19 $4\dfrac{7}{10}$ cm　　**20** 9 cm

[풀이]

1 $\dfrac{6}{12}+\dfrac{7}{12}+\dfrac{8}{12}+\dfrac{9}{12}+\dfrac{10}{12}+\dfrac{11}{12}=\dfrac{51}{12}=4\dfrac{3}{12}$

2 $4\dfrac{3}{8}+2\dfrac{5}{8}=7$, $15\dfrac{1}{8}-3\dfrac{3}{8}=11\dfrac{6}{8}$

➡ $\dfrac{56}{8}<\dfrac{\square}{8}<\dfrac{94}{8}$

따라서 □ 안에 들어갈 수 있는 자연수는 57부터 93까지의 수이므로 93－57＋1＝37(개)입니다.

3 두 대분수를 가분수로 고쳤을 때 큰 수를 $\dfrac{\square}{13}$, 작은 수를 $\dfrac{\triangle}{13}$ 라 하면 $\dfrac{\square}{13}+\dfrac{\triangle}{13}=\dfrac{120}{13}$, $\dfrac{\square}{13}-\dfrac{\triangle}{13}=\dfrac{32}{13}$입니다.

□＝(120＋32)÷2＝76이므로 큰 분수는 $\dfrac{76}{13}=5\dfrac{11}{13}$입니다.

4 ㉮수도로 1시간 동안 받을 수 있는 물의 양 :
$24\dfrac{3}{8}+24\dfrac{3}{8}+24\dfrac{3}{8}=73\dfrac{1}{8}$(L)

㉯수도로 1시간 동안 받을 수 있는 물의 양 :
$32\dfrac{5}{8}+32\dfrac{5}{8}=65\dfrac{2}{8}$(L)

따라서 두 수도로 1시간 동안 받을 수 있는 물의 양은 $73\dfrac{1}{8}+65\dfrac{2}{8}=138\dfrac{3}{8}$(L)입니다.

5 $\left(3\dfrac{3}{4}+3\dfrac{3}{4}+3\dfrac{3}{4}\right)-\left(\dfrac{1}{4}+\dfrac{1}{4}\right)$
$=9\dfrac{9}{4}-\dfrac{2}{4}=9\dfrac{7}{4}=10\dfrac{3}{4}$(cm)

6 $\dfrac{4}{6}+\dfrac{\square}{6}>2$에서 □는 8보다 커야 합니다.
따라서 □ 안에 들어갈 가장 작은 수는 9입니다.

7 (가로)＋(세로)＝5(m)이므로
(세로)＝$5-3\dfrac{1}{5}=4\dfrac{5}{5}-3\dfrac{1}{5}=1\dfrac{4}{5}$(m)

8 $4\dfrac{4}{5}+6\dfrac{4}{5}-1\dfrac{4}{5}=10\dfrac{8}{5}-1\dfrac{4}{5}=9\dfrac{4}{5}$(m)

9 $\square-\left\{5\dfrac{6}{30}-\left(4\dfrac{6}{30}-1\dfrac{18}{30}\right)\right\}=2\dfrac{18}{30}$

$\square-\left(5\dfrac{6}{30}-2\dfrac{18}{30}\right)=2\dfrac{18}{30}$

$\square-2\dfrac{18}{30}=2\dfrac{18}{30}$

$\square=2\dfrac{18}{30}+2\dfrac{18}{30}$

$\square=4\dfrac{36}{30}=5\dfrac{6}{30}$

10 $8\dfrac{18}{25}-\left(2\dfrac{24}{25}+3\dfrac{17}{25}+\dfrac{12}{25}\right)$
$=8\dfrac{18}{25}-7\dfrac{3}{25}=1\dfrac{15}{25}$(kg)

11 $4\dfrac{18}{32}+1\dfrac{15}{32}+2\dfrac{25}{32}-7\dfrac{6}{32}=1\dfrac{20}{32}$(km)

12 $2\dfrac{37}{50}+3\dfrac{43}{50}-1\dfrac{45}{50}=4\dfrac{35}{50}$(L)

13 $1\dfrac{5}{16}+2\dfrac{7}{16}=3\dfrac{12}{16}$(m)

14 (효근이가 동화책을 읽은 시간)
$=4\dfrac{7}{15}+1\dfrac{10}{15}=6\dfrac{2}{15}$(시간)$=\dfrac{92}{15}$(시간)
(효근이가 동화책을 읽은 쪽수)
＝(92÷2)×5＝230(쪽)

15 $7\dfrac{5}{8}=\dfrac{61}{8}$이므로 작은 가분수의 분자는
(61－11)÷2＝25입니다.
따라서 두 가분수 중 작은 가분수는 $\dfrac{25}{8}$입니다.

16 유승 : $15\dfrac{2}{3}+15\dfrac{2}{3}=31\dfrac{1}{3}$(초)

예슬 : $8\dfrac{1}{3}+8\dfrac{1}{3}+8\dfrac{1}{3}+8\dfrac{1}{3}=33\dfrac{1}{3}$(초)

➡ $33\dfrac{1}{3}-31\dfrac{1}{3}=2$(초)

17 $\dfrac{49}{9}=5\dfrac{4}{9}$이므로 $6\dfrac{1}{9}>\dfrac{49}{9}>4\dfrac{2}{9}$입니다.

➡ $6\dfrac{1}{9}+\dfrac{49}{9}-4\dfrac{2}{9}=7\dfrac{3}{9}$

18 (어떤 수)$-4\dfrac{7}{15}+2\dfrac{4}{15}=4\dfrac{1}{15}$에서
(어떤 수)$=4\dfrac{1}{15}-2\dfrac{4}{15}+4\dfrac{7}{15}=6\dfrac{4}{15}$

따라서 바르게 계산하면

$6\frac{4}{15}+4\frac{7}{15}-2\frac{4}{15}=8\frac{7}{15}=\frac{127}{15}$입니다.

19 (삼각형의 세 변의 길이의 합)

$=7\frac{3}{10}+7\frac{3}{10}+4\frac{2}{10}=18\frac{8}{10}$(cm)

정사각형의 한 변의 길이를 □ cm라 하면

$□+□+□+□=18\frac{8}{10}=\frac{188}{10}$입니다.

$188÷4=47$이므로 $□=\frac{47}{10}=4\frac{7}{10}$(cm)입니다.

20 (12분 동안 타는 양초의 길이)

$=25-23\frac{2}{5}=1\frac{3}{5}$(cm)

(1시간 동안 타는 양초의 길이)

$=1\frac{3}{5}+1\frac{3}{5}+1\frac{3}{5}+1\frac{3}{5}+1\frac{3}{5}=8$(cm)

(2시간 동안 타는 양초의 길이)$=8+8=16$(cm)

(남은 양초의 길이)$=25-16=9$(cm)

왕중왕문제 45~50

1 $60\frac{5}{10}$ **2** 2시간

3 가 : $\frac{15}{8}$, 나 : $\frac{21}{8}$, 다 : $\frac{24}{8}$

4 $1\frac{2}{5}+3\frac{4}{5}=5\frac{1}{5}$ 또는 $1\frac{4}{5}+3\frac{2}{5}=5\frac{1}{5}$

5 $\frac{1}{5}$ kg   **6** $11\frac{6}{18}$

7 $2\frac{4}{8}$ **8** $1\frac{1}{8}$ L

9 $105\frac{7}{8}$ **10** 10

11 14일 정오   **12** $\frac{5}{6}$

13 $1\frac{5}{8}$ m   **14** 34

15 12 cm   **16** 38가지

17 13   **18** $3\frac{4}{5}$ kg

19 15   **20** $1\frac{3}{4}$

[풀이]

1 $1\frac{1}{10}+2\frac{2}{10}+3\frac{3}{10}+\cdots+8\frac{8}{10}+9\frac{9}{10}+10\frac{10}{10}$

$=(1+2+\cdots+9+10)+\left(\frac{1}{10}+\frac{2}{10}+\cdots+\frac{9}{10}+\frac{10}{10}\right)$

$=55+\frac{55}{10}=60\frac{5}{10}$

2 외출한 시간 : 14시−9시 15분=4시간 45분

걸은 시간 : 4시간 45분$-\left(2\frac{1}{4}+\frac{2}{4}\right)$시간

$=4\frac{3}{4}$시간$-2\frac{3}{4}$시간$=2$시간

3 $7\frac{4}{8}=\frac{60}{8}$이므로 세 분수의 분자는

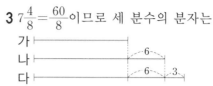

$\{60-(6+6+3)\}÷3=15$이므로 가는 15, 나는 21, 다는 24입니다.

따라서 가는 $\frac{15}{8}$, 나는 $\frac{21}{8}$, 다는 $\frac{24}{8}$입니다.

4 두 대분수의 분모는 모두 5가 되어야 하며 분자는 분모보다 작아야 합니다.

$\frac{\boxed{ㄷ}\boxed{ㄱ}}{5}+\boxed{ㄹ}\frac{\boxed{ㄴ}}{5}=5\frac{1}{5}$

$\boxed{ㄱ}+\boxed{ㄴ}$은 6, $\boxed{ㄷ}+\boxed{ㄹ}$은 4가 되어야 합니다.

따라서 $\boxed{ㄷ}$과 $\boxed{ㄹ}$은 1 또는 3이고, $\boxed{ㄱ}$과 $\boxed{ㄴ}$은 2 또는 4가 됩니다.

따라서 $1\frac{2}{5}+3\frac{4}{5}=5\frac{1}{5}$ 또는 $1\frac{4}{5}+3\frac{2}{5}=5\frac{1}{5}$입니다.

5 사과 2개의 무게 : $1\frac{2}{5}-\frac{3}{5}=\frac{4}{5}$(kg)

사과 1개의 무게 : $\frac{2}{5}$kg

바구니만의 무게 : $\frac{3}{5}-\frac{2}{5}=\frac{1}{5}$(kg)

6 ▲은 $15\frac{10}{18}-7\frac{2}{18}=8\frac{8}{18}$을 둘로 나눈 것 중의 하나입니다.

$8\frac{8}{18}=4\frac{4}{18}+4\frac{4}{18}$이므로 ▲$=4\frac{4}{18}$입니다.

따라서 $□=7\frac{2}{18}+4\frac{4}{18}=11\frac{6}{18}$

7 분모와 분자의 합이 13이고, 차가 3이므로 분모는 $(13+3)÷2=8$, 분자는 $13-8=5$입니다.

따라서 구하려는 진분수는 $\frac{5}{8}$입니다.

분모와 분자의 합이 23이고, 차가 7이므로 분자는 $(23+7)÷2=15$, 분모는 $23-15=8$입니다.

따라서 구하려는 가분수는 $\frac{15}{8}$입니다.

$\frac{5}{8}+\frac{15}{8}=\frac{20}{8}=2\frac{4}{8}$

8 물병 두 개에 담긴 물의 양은 $2\frac{1}{8}+4\frac{3}{8}=6\frac{4}{8}$(L)

이므로 $6\frac{4}{8}=3\frac{2}{8}+3\frac{2}{8}$에서 물을 옮겨 담은 후의

두 물병의 물의 양은 각각 $3\frac{2}{8}$ L입니다.

따라서 물병 ㉯에서 ㉮로 옮긴 물의 양은

$4\frac{3}{8}-3\frac{2}{8}=1\frac{1}{8}$(L)입니다.

9 자연수 부분은 1부터 4개씩 반복이 되고 분자는
1, 3, 5, 7이 반복되는 규칙이 있습니다.

30번째 분수는 $30\div4=7\cdots2$에서 $(7+1)\frac{3}{8}=8\frac{3}{8}$

40번째 분수는 $40\div4=10$에서 $10\frac{7}{8}$입니다.

$8\frac{3}{8}+8\frac{5}{8}+8\frac{7}{8}+9\frac{1}{8}+9\frac{3}{8}+9\frac{5}{8}+9\frac{7}{8}+10\frac{1}{8}+10\frac{3}{8}$

$+10\frac{5}{8}+10\frac{7}{8}$

$=(8\times3+9\times4+10\times4)+\frac{15+16+16}{8}$

$=100+\frac{47}{8}=105\frac{7}{8}$

10 첫 번째 식에서 $4\frac{\square}{8}<10\frac{1}{8}-5\frac{3}{8}=4\frac{6}{8}$이므로

□ 안에 들어갈 수 있는 수는 1, 2, 3, 4, 5입니다.

두 번째 식에서 $4\frac{\square}{9}<7\frac{7}{9}-3\frac{2}{9}=4\frac{5}{9}$이므로

□ 안에 들어갈 수 있는 수는 1, 2, 3, 4입니다.

➡ $1+2+3+4=10$

11 11일 정오 : $5-1\frac{1}{4}=3\frac{3}{4}$(분) 느립니다.

12일 정오 : $3\frac{3}{4}-1\frac{1}{4}=2\frac{2}{4}$(분) 느립니다.

13일 정오 : $2\frac{2}{4}-1\frac{1}{4}=1\frac{1}{4}$(분) 느립니다.

14일 정오 : $1\frac{1}{4}-1\frac{1}{4}=0$으로 정확한 시각을 가
리킵니다.

12 A, B 수도관은 모두 1분에 통의 $\frac{1}{6}$씩 채울 수

있고, C 수도관은 2분에 통의 $\frac{1}{6}$씩 채울 수 있

습니다.

따라서 2분 후에는 통의 $\frac{2}{6}+\frac{2}{6}+\frac{1}{6}=\frac{5}{6}$를 채울

수 있습니다.

13 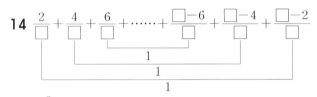 왼쪽 그림에서 색칠된 부분
이 막대가 물에 젖은 부분
입니다.

(연못의 깊이의 2배)
=(막대 전체의 길이)
−(물에 젖지 않은 부분의 길이)

$=4\frac{1}{8}-\frac{7}{8}=3\frac{2}{8}$(m)

$3\frac{2}{8}=1\frac{5}{8}+1\frac{5}{8}$이므로 연못의 깊이는 $1\frac{5}{8}$m입니다.

14 $\frac{2}{\square}+\frac{4}{\square}+\frac{6}{\square}+\cdots\cdots+\frac{\square-6}{\square}+\frac{\square-4}{\square}+\frac{\square-2}{\square}$

$=8$

각 쌍마다 합이 1이고 8이 되려면 8쌍이 있어야
하므로 더한 분수의 개수는 16개입니다.

분자는 2부터 연속되는 짝수이므로 16번째 짝수
가 □−2입니다.

□−2=2×16에서 □=34입니다.

15 (색 테이프 7장의 길이의 합)

$=74\frac{2}{5}+\left(1\frac{3}{5}+1\frac{3}{5}+1\frac{3}{5}+1\frac{3}{5}+1\frac{3}{5}+1\frac{3}{5}\right)$

$=84$(cm)

(색 테이프 1장의 길이)=$84\div7=12$(cm)

16 $4=\frac{40}{10}$이므로 (㉠, ㉡)은 (1, 39), (2, 38),

(3, 37), ……, (39, 1)입니다.

이때 ㉠과 ㉡이 서로 다른 자연수이므로
(20, 20)은 포함되지 않습니다.

따라서 $39-1=38$(가지)입니다.

17 분수를 3개씩 묶어보면

$\left(\frac{㉠}{7}+1\frac{4}{7}-\frac{㉡}{7}\right)+\left(\frac{㉠}{7}+1\frac{4}{7}-\frac{㉡}{7}\right)$

$+\left(\frac{㉠}{7}+1\frac{4}{7}-\frac{㉡}{7}\right)=9$이므로

$\frac{㉠}{7}+1\frac{4}{7}-\frac{㉡}{7}=3$입니다.

$\frac{㉠}{7}-\frac{㉡}{7}=3-1\frac{4}{7}=\frac{10}{7}$이므로

㉠−㉡=10입니다.

따라서 ㉠=$(16+10)\div2=13$입니다.

18 (음료수 병 2개의 무게)=$7\frac{2}{5}-5=2\frac{2}{5}$(kg)이므로

$2\frac{2}{5}=1\frac{1}{5}+1\frac{1}{5}$에서 음료수 병 한 개의 무게는

$1\frac{1}{5}$ kg입니다.

따라서 음료수 병을 2개 담아 무게를 재면

$5-1\frac{1}{5}=3\frac{4}{5}$(kg)입니다.

19 (가장 큰 계산 결과)$=9\frac{4}{7}+8\frac{1}{7}-1\frac{6}{7}=15\frac{6}{7}$

㉠ (가장 작은 계산 결과)$=4\frac{4}{7}+6\frac{1}{7}-9\frac{6}{7}=\frac{6}{7}$

➡ $15\frac{6}{7}-\frac{6}{7}=15$

20

2	$\frac{1}{4}$	㉢
	$1\frac{1}{4}$	㉮
1	㉠	㉡

$2+1\frac{1}{4}+㉡=1+㉠+㉡$

에서 $2+1\frac{1}{4}=1+㉠$

이므로 $㉠=2\frac{1}{4}$입니다.

가로, 세로, 대각선의 세 수의 합은

$\frac{1}{4}+1\frac{1}{4}+2\frac{1}{4}=3\frac{3}{4}$이므로

$㉡=3\frac{3}{4}-2-1\frac{1}{4}=\frac{2}{4}$, $㉢=3\frac{3}{4}-1-1\frac{1}{4}=1\frac{2}{4}$

입니다.

따라서 $㉮=3\frac{3}{4}-1\frac{2}{4}-\frac{2}{4}=1\frac{3}{4}$입니다.

4. 소수의 덧셈과 뺄셈

풀이

3.5, 2.5, 0.72, 3.5, 2.5, 0.72, 6.72

답 6.72

EXERCISE 1

1 45.9   **2** 4, 0, 0, 5, 2

3 5.25   **4** 500

[풀이]

1 0.1이 435개이면 43.5

0.01이 5개이면 0.05

0.001이 2350개이면 2.35

따라서 43.5+0.05+2.35=45.9입니다.

2 $40\frac{52}{1000}=40.052$이므로 10이 4개, 1이 0개,

0.1이 0개, 0.01이 5개, 0.001이 2개인 수입니다.

3 0.3이 5개인 수는 1.5

0.5가 7개인 수는 3.5

0.025가 10개인 수는 0.25

따라서 1.5+3.5+0.25=5.25입니다.

4 0.105가 1000개이면 105

2.35가 100개이면 235

0.016이 10000개이면 160

따라서 105+235+160=500입니다.

풀이

4.25, 4.25, 4.25, 4.25, 17, 한솔, 한별, 17, 0.2

답 한솔, 0.2

EXERCISE 2

1 2.3 kg   **2** 3.8 cm

3 50.8 kg

[풀이]

1 (가영)=(동민)+8.6

(웅이)=(동민)+6.3

따라서 웅이는 가영이보다 8.6-6.3=2.3(kg) 더

가볍습니다.

2 가로와 세로의 길이의 합 : 84÷2=42(cm)

세로의 길이 : 42-19.1=22.9(cm)

가로와 세로의 길이의 차 : 22.9-19.1=3.8(cm)

3 어머니의 몸무게가 60 kg이므로

아버지의 몸무게는 (60÷4)+50.9=65.9(kg)이고

아들의 몸무게는

(65.9-40.5)+(65.9-40.5)=50.8(kg)입니다.

왕 문제 **54~59**

1 4.44   **2** 1000배

3 90배   **4** 차 : 0, 합 : 0.28

5 16   **6** 8개

7 745 cm   **8** 49.78 kg

9 1.023   **10** 4.5 cm

11 40.61   **12** 풀이 참조

13 10.57 L   **14** 30.84

15 9.74 m   **16** 82.5 m

17 124.51 kg   **18** 40 cm

19 6.13 m   **20** 2.05 cm

[풀이]

1 0.1이 30개이면 3

0.01이 120개이면 1.2

0.001이 240개이면 0.24

따라서 $3+1.2+0.24=4.44$입니다.

2 ㉠의 숫자 2는 20을 나타내고, ㉡의 숫자 2는 0.02를 나타내므로 20은 0.02의 1000배입니다.

3 어떤 수의 100배에서 어떤 수의 10배를 빼면 어떤 수의 90배가 남게 됩니다.

4 0.42의 $\frac{1}{3}$은 0.14

4.2의 $\frac{1}{10}$은 0.42

4.2의 $\frac{1}{30}$은 0.14

따라서 차는 $0.14-0.14=0$이고

합은 $0.14+0.14=0.28$입니다.

5 가+나=8.6

나+다=13.3

가+다=10.1

$2\times($가+나+다$)=32$

따라서 가+나+다=16입니다.

6 3.428, 3.437, 3.446, 3.455, 3.464, 3.473, 3.482, 3.491이므로 8개입니다.

7 $1.25+1.25+1.25+1.25+1.25+1.25=7.5(m)$이고, 겹쳐진 부분은 5개이므로

$7.5-(0.01+0.01+0.01+0.01+0.01)$

$=7.45(m)=745(cm)$

8 $(15.83+15.83)+(15.83+2.29)=49.78(kg)$

9 3이 5개, 0.001이 5개인 수는 $15+0.005=15.005$이고,

$16\frac{3}{100}$은 16.03이므로

가장 큰 소수 세 자리 수는 16.029

가장 작은 소수 세 자리 수는 15.006입니다.

따라서 $16.029-15.006=1.023$입니다.

10 추 하나에 2.5 cm씩 늘어나므로 추 5개일 때 $2.5+2.5+2.5+2.5+2.5=12.5(cm)$ 늘어납니다.

따라서 처음 용수철의 길이는 $17-12.5=4.5(cm)$입니다.

11 신영이의 카드 : 18.24

한별이의 카드 : 9.08

예슬이의 카드 :

$(18.24-9.08)+(18.24-9.08)-5.03=13.29$

따라서 $18.24+9.08+13.29=40.61$입니다.

12 $0.1+0.2+0.3+0.4+0.5+0.6=2.1$이고, 한 변의 세 수의 합이 1.2이므로 세 변의 수의 합은 $1.2+1.2+1.2=3.6$입니다.

따라서 ㉠+㉡+㉢은 $3.6-2.1=1.5$이며, 합이 1.5가 되는 경우는 $0.4+0.5+0.6$일 때입니다.

예)

```
        0.4
     0.3    0.2
  0.5    0.1    0.6
```

13 $12.5-8.43+6.5=10.57(L)$

14 $\square-27.3=6.27$

$\square=33.57$

따라서 $33.57-2.73=30.84$입니다.

15 $2.54+2.54+2.54=7.62(m)$

$1.08+1.08=2.16(m)$

이음매는 4개이므로

$(7.62+2.16)-(0.01+0.01+0.01+0.01)=9.74(m)$

16 0.55가 100개이면 55

0.55가 10개이면 5.5이므로,

$55+(5.5+5.5+5.5+5.5+5.5)=82.5(m)$입니다.

17 동민이의 몸무게 : 34.71kg

동생의 몸무게 : 28.5kg

아버지의 몸무게 : $(34.71+28.5)-1.91=61.3(kg)$

따라서 $34.71+28.5+61.3=124.51(kg)$입니다.

18 액자들의 가로의 길이의 합은

$3.2-(0.2+0.2+0.2+0.2+0.2+0.2)=2(m)$

따라서 액자 하나의 가로의 길이는

$200\div5=40(cm)$입니다.

19 0.57이 10개이면 5.7이고 43 cm=0.43 m이므로 처음 테이프의 길이는 $5.7+0.43=6.13(m)$입니다.

20 신영 : 123.5 cm

효근 : 123.5+2.3=125.8(cm)

지혜 : 123.5+2.3-0.25=125.55(cm)

따라서 지혜와 신영이의 키의 차는

125.55-123.5=2.05(cm)입니다.

> **별해**
>
> (효근)=(신영)+2.3
>
> (지혜)=(효근)-0.25
>
> (지혜)=(신영)+2.3-0.25
>
> =(신영)+2.05

왕중왕 문제 60~65

1 가영 : 2.07 m, 용희 : 1.53 m

2 0.12 m   **3** 9.9 m

4 7.04   **5** 예슬, 1.7 kg

6 499.95   **7** 37.9 kg

8 26.168   **9** 37.58

10 가 : 92점, 나 : 58점

11 (1) 1.3 kg   (2) 0.35 kg

12 1.83   **13** 0.098

14 8.16   **15** 117.8

16 22   **17** 270 g

18 100.9   **19** 38명

20 (1) 0.44 km   (2) 0.63 km

[풀이]

1 가영 :

용희 :

용희가 가진 철사의 길이는 3.6-0.54=3.06(m)의 반이 되므로 1.53 m입니다.

가영이가 가진 철사의 길이는 1.53+0.54=2.07(m)입니다.

2 0.42+0.42+0.42+0.42+0.42=2.1(m)

따라서 간격의 길이의 합은 2.82-2.1=0.72(m)이고, 0.72는 0.12가 6개 모인 것이므로 간격 하나의 길이는 0.12 m입니다.

3 가로 : 3.5-0.8=2.7(m)

세로 : 1.9+0.35=2.25(m)

꽃밭의 둘레 : 2.7+2.7+2.25+2.25=9.9(m)

4 바르게 계산하면 30.54이며, 잘못 계산한 답과의 차는 696.96입니다.

이것은 어떤 소수와 그 수의 소수점을 빠뜨린 수와의 차이므로 이러한 수를 찾아보면 7.04입니다.

5 한초의 몸무게를 □ kg이라 하면,

예슬이의 몸무게 : □+8.3(kg)

동민이의 몸무게 : □+11.4(kg)

석기의 몸무게 : □+11.4-4.8=□+6.6(kg)

따라서 예슬이가 석기보다 8.3-6.6=1.7(kg) 더 무겁습니다.

6 소수 둘째 자리 숫자의 합 :

4+5+6+ … +9+1+2+3=45

소수 첫째 자리 숫자의 합 :

3+4+5+ … +9+1+2=45

일의 자리 숫자의 합 :

2+3+4+ … +8+9+1=45

십의 자리 숫자의 합 :

1+2+3+ … +7+8+9=45

따라서 각 자리 수의 합은

450+45+4.5+0.45=499.95입니다.

7 $5\frac{6}{10}$ kg=5.6 kg이므로

웅이의 몸무게 : 38.7-5.6=33.1(kg)

따라서 4800 g=4.8 kg이므로 33.1+4.8=37.9(kg)입니다.

8 가장 작은 소수 : 0.456

(0.456+0.456+0.456)+24.8=26.168

9 자연수와 어떤 소수와의 차가 3720.42이므로 구하고자 하는 소수는 소수 두 자리 수입니다. 자연수와 소수의 숫자의 배열이 같으므로 수의 뒷쪽부터 생각합니다.

$$\begin{array}{r} A\,B\,C\,D \\ -\quad A\,B.C\,D \\ \hline 3\,7\,2\,0.4\,2 \end{array}$$

D는 8, C는 5이므로 B는 7, A는 3입니다.

따라서 구하는 소수는 37.58입니다.

10 (5명의 점수의 합)=73.2+73.2+73.2+73.2+73.2

=366(점)

가+나=366-(61+73+82)=150(점)

가-나=8.5+8.5+8.5+8.5=34(점)

가=(150+34)÷2=92(점)

나＝92－34＝58(점)

11 (1) 0.7 L의 참기름 무게 : 2.3－1.39＝0.91(kg)

0.1 L의 참기름 무게 : 0.13 kg

따라서 1 L의 참기름 무게 : 1.3 kg

(2) 1 L의 참기름 무게가 1.3 kg이므로 1.5 L의
참기름 무게는 1.3＋0.65＝1.95(kg)입니다.

따라서 병만의 무게는 2.3－1.95＝0.35(kg)
입니다.

12

2.74	㉢	4.57

㉡	㉠

2.74＋㉢＝㉡, 4.57＋㉢＝㉠이므로

㉠－㉡＝4.57－2.74＝1.83입니다.

13 5.92－5.82＝0.1이므로 두 수의 사이를 100등분
할 때 눈금 한 칸의 크기는 0.001입니다.

따라서 가장 큰 수는 5.92－0.001＝5.919이고 가
장 작은 수는 5.82＋0.01＝5.821이므로 두 수의
차는 5.919－5.821＝0.098입니다.

14 간격이 일정하므로 간격을 □라 하면

㉡＝㉠＋□, ㉢＝㉠＋□＋□,

㉣＝㉠＋□＋□＋□이므로

㉢＋㉣＝㉠＋㉡＋□＋□＋□＋□입니다.

(㉢＋㉣)－(㉠＋㉡)＝□＋□＋□＋□＝0.96이
므로

㉡＋㉣＝㉠＋㉠＋□＋□＋□＋□

＝3.6＋3.6＋0.96＝8.16입니다.

15 1.52－0.28＝1.24, 2.76－1.52＝1.24,

4－2.76＝1.24이므로

1.24씩 뛰어세기한 것입니다.

(5번째 수)＝4＋1.24＝5.24

(100번째 수)＝0.28＋1.24×100－1.24＝123.04

➡ (100번째 수)－(5번째 수)

＝123.04－5.24＝117.8

16 ㉠＋㉠은 6 또는 7이므로 ㉠은 3입니다.

㉡＋㉡을 한 결과 받아올림이 있으므로

㉡은 5, 6, 7, 8, 9 중에 하나입니다.

㉡＋㉡은 13이므로 ㉡은 6입니다.

㉢＋㉣＝㉣에서 1＋㉢＋㉣＝10＋㉣이므로

㉢은 9입니다.

㉣＋㉢에서 ㉣＋9＝13이므로 ㉣은 4입니다.

따라서 ㉠＋㉡＋㉢＋㉣＝3＋6＋9＋4＝22입니다.

17 쌀 0.4 g 속에 있는 단백질 : 0.024 g

쌀 400 g 속에 있는 단백질 : 24 g

쌀 4000 g 속에 있는 단백질 : 240 g

쌀 500 g 속에 있는 단백질 : 240÷8＝30(g)

따라서 쌀 4.5 kg＝4500 g 속에 있는 단백질은

240＋30＝270(g)입니다.

18 앞쪽부터 생각하면 쉽게 구할 수 있습니다.

㉣은 1, ㉢은 9, ㉤은 0이 되므로 ㉠은 5, ㉡은 8
이 됩니다.

따라서 ㉣㉤㉤.㉢은 100.9입니다.

19 전학 오기 전 평균키 1.39 m와 전학 온 학생들
의 키의 차의 합은

0.08－0.03＋0.09＋0.16＋0.13＝0.43이므로

1.4－1.39＝0.01이 43개 있는 것과 같으므로 전
학을 온 학생들까지 모두 43명입니다.

따라서 전학을 오기 전 한초네 학년 학생 수는

43－5＝38(명)입니다.

20 (1) 가 역～다 역 : 0.85＋0.74＝1.59(km)

가 역～라 역 : 2.03km

따라서 다 역～라 역 : 2.03－1.59＝0.44(km)

(2) 라 역～마 역＝(다 역～마 역)－(다 역～라 역)

＝1.07－0.44＝0.63(km)

search 탐구 **69**

풀이

145, 35, 180, 35, 95, 95, 85, 85, 60

답 60

EXERCISE 1

1 각 ㉠ : 65°, 각 ㉡ : 130°

2 65°

[풀이]

1

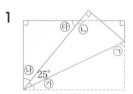

(각 ㉮)=25°이므로

(각 ㉠)=180°−25°−90°=65°입니다.

(각 ㉯)=90°−25°−25°=40°이므로

(각 ㉰)=180°−40°−90°=50°이고

(각 ㉡)=180°−50°=130°입니다.

2

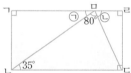

(각 ㉠)=180°−90°−55°=35°이므로

(각 ㉡)=180°−80°−35°=65°입니다.

search 탐구 **70**

풀이

60, 85 / 60, 85, 85, 60, 25

답 25

EXERCISE 2

1 75°

2 각 ㉠ : 60°, 각 ㉡ : 60°

[풀이]

1

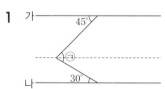

직선 가와 나에 평행한 선을 그으면

(각 ㉠)=45°+30°=75°입니다.

2

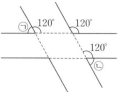

(각 ㉠)=180°−120°=60°

(각 ㉡)=180°−120°=60°

왕문제 **71~76**

1 각 ㉠ : 105°, 각 ㉡ : 75°

2 각 ㉠ : 60°, 각 ㉡ : 120°

3 각 ㉠ : 62°, 각 ㉡ : 118°

4 각 ㉠ : 130°, 각 ㉡ : 50°

5 각 ㉠ : 93°, 각 ㉡ : 63°, 각 ㉢ : 68°

6 80°   **7** 120°

8 170°   **9** 70°

10 50°   **11** 34°

12 90°   **13** 90°

14 각 가 : 75°, 각 나 : 50°, 각 다 : 55°

15 75   **16** 33°

17 2°   **18** 145°

[풀이]

1

(각 ㉠)=180°−75°=105°

(각 ㉡)=75°

2

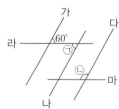

(각 ㉠)=60°이고,

(각 ㉡)=180°−60°=120°

입니다.

3

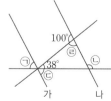

100°=38°+(각 ㉢)이므로

(각 ㉢)=62°, (각 ㉠)=62°,

(각 ㉣)=180°−100°=80°이

므로 (각 ㉡)=38°+80°=

118°입니다.

4

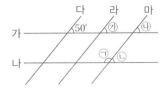

(각 ㉮)=(각 ㉯)=50°이므로 (각 ㉡)=50°입니다.
따라서 (각 ㉠)=180°−50°=130°입니다.

5 평행선의 성질에 의해
(각 ㉠)=57°+36°=93°
(각 ㉡)=180°−55°−62°=63°
(각 ㉢)=(180°−70°−65°)+23°=68°

6

선분 ㄹㄴ의 연장선을 그어 보면 각 ㅁㄴㄱ은 각 ㄴㄱㄷ과 같습니다.
따라서 (각 ㄱㄴㄷ)=(180°−20°)÷2=80°입니다.

7

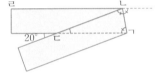

(각 ㉮)=(각 ㉯)=30°입니다.
또한, (각 ㉰)=(각 ㉮)=30°이므로
(각 ㉠)=180°−(30°+30°)=120°입니다.

8 (각 ㉠)=180°−(60°+70°)=50°
(각 ㉡)=360°−(150°+60°+70°)=80°
(각 ㉢)=180°−(60°+80°)=40°이므로
(각 ㉠)+(각 ㉡)+(각 ㉢)
=50°+80°+40°=170°입니다.

9

(각 ㉡)=60°이므로
(각 ㉢)=360°−60°−110°−80°
=110°입니다.
따라서 (각 ㉠)=180°−110°=70°입니다.

10 (각 ㄱㄴㄷ)=110°−40°=70°이므로
(각 ㄴㄹㅁ)=70°−20°=50°입니다.

11 (각 ㄹㄱㅁ)=28°이므로
(각 ㄱㅁㄹ)=90°−28°=62°입니다.
(각 ㄱㅁㄷ)=28°이므로

(각 ㄷㅁㄹ)=62°−28°=34°입니다.

12 도형의 다섯 각의 합은 3×180°=540°이므로
(각 ㄷㄹㅁ)=540°−(90°+90°+125°+145°)
=90°입니다.

13

(각 ㉡)=50°이므로
(각 ㉠)=180°−(50°+40°)
=90°입니다.

14 각 나의 크기를 □라고 하면, 각 다는 □+5°,
각 가는 □+25°가 되므로
□+(□+5°)+(□+25°)=180°
3×□=180°−30°
□=150°÷3
□=50°
따라서 각 가의 크기는 75°, 각 나의 크기는
50°, 각 다의 크기는 55°입니다.

15

(각 ㉠)=180°−135°=45°
□=180°−(45°+60°)
□=75°

16

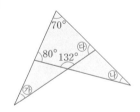

삼각형의 세 각의 크기의 합은 180°이므로
(각 ㉡)+(각 ㉢)=180°−138°=42°이고,
72°+33°+(각 ㉠)+(각 ㉡)+(각 ㉢)=180°에서
(각 ㉠)=180°−(72°+33°+42°)=33°입니다.

17

(각 ㉯)=180°−(70°+80°)=30°
(각 ㉰)=360°−(70°+80°+132°)=78°
(각 ㉮)=180°−(70°+78°)=32°
따라서 각 ㉮와 각 ㉯의 크기의 차는
32°−30°=2°입니다.

18

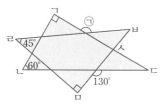

삼각형 ㄱㄴㄷ에서 (각 ㄱㄷㄴ)=30°이므로
(각 ㄷㅅㅁ)=130°−30°=100°입니다.
따라서 (각 ㄱㅅㅂ)=100°이고,
삼각형 ㄹㅁㅂ에서 (각 ㄹㅁㅂ)=45°이므로
(각 ㉠)=100°+45°=145°입니다.

왕중왕문제 `77~82`

1 135°

2 각 ㉠ : 100°, 각 ㉡ : 150°, 각 ㉢ : 230°

3 12   **4** 126°

5 108°   **6** 45°

7 35°   **8** 90°

9 186°

10 (1) 110°   (2) 25°

11 60°   **12** 180°

13 105°   **14** 20°

15 110°   **16** 360°

17 90°   **18** 152°

[풀이]

1

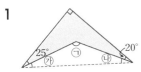

(각 ㉮)+(각 ㉯)=90°−(25°+20°)=45°이므로
(각 ㉠)=180°−45°=135°입니다.

2 (각 ㉡)=180°−30°=150°
(각 ㉠)=150°−(90°−40°)=100°
(각 ㉢)=180°+(90°−40°)=230°

3 가장 작은 각 1개로 이루어진 예각 : 8개
가장 작은 각 2개로 이루어진 예각 : 7개
가장 작은 각 3개로 이루어진 예각 : 6개
따라서 모든 예각은 8+7+6=21(개)입니다.

가장 작은 각 5개로 이루어진 둔각 : 4개
가장 작은 각 6개로 이루어진 둔각 : 3개
가장 작은 각 7개로 이루어진 둔각 : 2개
따라서 모든 둔각은 4+3+2=9(개)입니다.
➡ ㉠−㉡=21−9=12

4

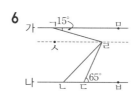

선분 ㄱㄴ의 연장선이 직선 나와 만나는 점을
점 ㅂ이라 하면, (각 ㄱㅂㄹ)=74°입니다.
(각 ㄷㄴㅂ)=180°−48°=132°
사각형 ㄴㅂㄹㄷ의 네 각의 크기의 합이 360°이므
로 100°+132°+74°+(각 ㄷㄹㅂ)=360°,
(각 ㄷㄹㅂ)=54°입니다.
따라서 각 ㄷㄹㅁ은 180°−54°=126°입니다.

5 각 ㄱㄴㄷ의 크기는 180°−60°−78°=42°입니다.
(각 ㄹㄱㄷ)=180°−90°−42°=48°
(각 ㄴㅂㄹ)=180°−90°−30°=60°
따라서 두 각의 크기의 합은 48°+60°=108°입니다.

6

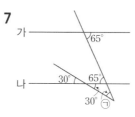

점 ㄹ을 지나고 직선 가, 나
에 평행한 직선 ㅅㄹ을 그으
면,
(각 ㄱㄹㅅ)=(각 ㅁㄱㄹ)=15°
(각 ㅅㄹㄷ)=(각 ㄹㄷㅂ)=65°
(각 ㄱㄹㄷ)=15°+65°=80°
(각 ㄴㄹㄷ)=80°÷4=20°
따라서 (각 ㄹㄴㄷ)=65°−20°=45°입니다.

7

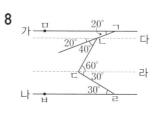

각 ㉠은 65°−30°=35°입니다.

8

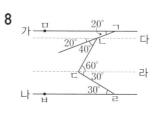

점 ㄴ과 점 ㄷ을 각각
지나고 직선 가, 나에
평행한 직선을 직선 다
와 라라고 하면,
각 ㄴㄷㄹ은
60°+30°=90°입니다.

9

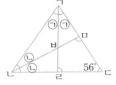

삼각형 ㄱㄴㄷ에서
$2 \times$(각 ㉠)$+2 \times$(각 ㉡)$+56° = 180°$이므로
(각 ㉠)$+$(각 ㉡)$=62°$입니다.
삼각형 ㄱㄴㄹ에서
(각 ㄱㄹㄷ)$=$(각 ㉠)$+2 \times$(각 ㉡)
삼각형 ㄱㄴㅁ에서
(각 ㄴㅁㄷ)$=2 \times$(각 ㉠)$+$(각 ㉡)
(각 ㄱㄹㄷ)$+$(각 ㄴㅁㄷ)
$=$(각 ㉠)$+2 \times$(각 ㉡)$+2 \times$(각 ㉠)$+$(각 ㉡)
$=3 \times$(각 ㉠$+$각 ㉡)$=186°$

별해
(각 ㉠)$+$(각 ㉡)$=62°$
(각 ㄱㅂㄴ)$=$(각 ㅁㅂㄹ)$=180°-62°=118°$
(각 ㄱㄹㄷ)$+$(각 ㄴㅁㄷ)
$=360°-118°-56°=186°$

10

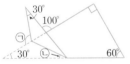

(1) (각 ㉠)$=30°+(180°-100°)=110°$
(2) (각 ㉡)$=\{180°-(100°+30°)\} \div 2 = 25°$

11

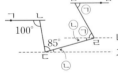

왼쪽 그림과 같이 점 ㄷ, 점 ㄹ을 각각 지나고 직선 ㄱㄴ, 직선 ㅁㅂ과 평행한 직선을 직선 가와 나라고 하면, 직선 ㄱㄴ과 직선 가는 평행하므로
(각 ㉡)$=100°-85°=15°$입니다.
따라서 (각 ㉠)$=75°-15°=60°$입니다.

12

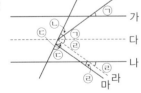

직선 가와 평행한 직선 다를 긋고, 직선 마와 평행한 직선 라를 그으면,
(각 ㉠)$+$(각 ㉡)$+$(각 ㉢)$+$(각 ㉣)$=180°$가 됩니다.

13

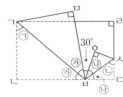

왼쪽에서 접은 부분의 각의 크기는 같으므로,
(각 ㄱㅂㄴ)$=$(각 ㄱㅂㅁ),
(각 ㅅㅂㄷ)$=$(각 ㅅㅂㅇ)
$2 \times$(각 ㉮)$+30°$
$+2 \times$(각 ㉯)$=180°$

따라서 (각 ㉮)$+$(각 ㉯)$=75°$, 삼각형 ㄱㄴㅂ과 삼각형 ㅅㅂㄷ에서 삼각형의 세 각의 크기의 합은 $180°$이므로
(각 ㉠)$=180°-(90°+$각 ㉮$)=90°-($각 ㉮$)$
(각 ㉡)$=180°-(90°+$각 ㉯$)=90°-($각 ㉯$)$
(각 ㉠)$+$(각 ㉡)$=90°-($각 ㉮$)+90°-($각 ㉯$)$
$\qquad =180°-($각 ㉮$+$각 ㉯$)$
$\qquad =180°-75°=105°$

14

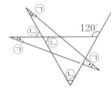

$2 \times$(각 ㉡)$=120°$
(각 ㉡)$=60°$
(각 ㉠)$+2 \times$(각 ㉠)
$=$(각 ㉡)에서
$3 \times$(각 ㉠)$=60°$
(각 ㉠)$=20°$

15 $2 \times$(각 ㄹㄴㄷ$+$각 ㄹㄷㄴ)$=180°-40°=140°$
(각 ㄹㄴㄷ$+$각 ㄹㄷㄴ)$=70°$
따라서 각 ㄴㄹㄷ은 $180°-70°=110°$입니다.

16

(각 ①$+$각 ②$+$각 ③$+$각 ④)$=360°$
따라서 각 ㉠~각 ㉧의 합은
$180° \times 4 - 360° = 360°$입니다.

17 (각 ㄹㄱㄴ)$+$(각 ㄷㄴㄱ)$=180°$이므로
(각 ㅁㄱㄴ)$+$(각 ㅁㄴㄱ)$=180° \div 2 = 90°$
따라서 (각 ㄱㅁㄴ)$=180°-90°=90°$입니다.

18

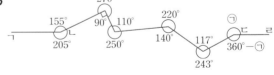

왼쪽 그림과 같이 양끝의 선분이 서로 평행할 때, 이 전체 선분들의 위쪽 각의 합은 아래쪽 각의 합과 같습니다.

$155°+270°+110°+220°+117°+$(각 ㉠)
$=205°+90°+250°+140°+243°+360°-$(각 ㉠)

따라서 (각 ㉠)=208°이므로
(각 ㄷ)=360°−208°=152°입니다.

2. 삼각형

풀이

12, 12, 12, 12, 24, 12, 12, 12, 12, 24, 24, 24, 48

답 48

EXERCISE

1 3   **2** 29

[풀이]

2 〈예각삼각형〉

2칸짜리 : 1개, 3칸짜리 : 2개,

4칸짜리 : 2개 ➡ 1+2+2=5(개)

〈직각삼각형〉

1칸짜리 : 2개, 2칸짜리 : 2개,

3칸짜리 : 1개, 5칸짜리 : 1개

➡ 2+2+1+1=6(개)

〈둔각삼각형〉

1칸짜리 : 3개, 2칸짜리 : 1개

➡ 3+1=4(개)

따라서 ㉠=5, ㉡=6, ㉢=4이므로

㉠+㉢−㉡=3입니다.

3 나머지 한 각의 크기는 90°보다 작아야 하므로 나
머지 한 각의 크기를 가장 큰 89°라고 하면
★=180°−(62°+89°), ★=29°입니다.

왕 문제 85~90

1 직각삼각형   **2** $\frac{1}{4}$

3 90°   **4** 65°

5 182 cm   **6** 135°

7 30°   **8** 32개

9 30 cm   **10** 40°

11 4개   **12** 30°

13 48°   **14** 108°

15 각 ㉮ : 75°, 각 ㉯ : 60°

16 5개   **17** 39 cm

18 10개

[풀이]

1 각 ㄱㄴㄹ과 각 ㄴㄱㄹ의 크기가 같고
각 ㄷㄱㄹ과 각 ㄱㄷㄹ의 크기가 같으므로
2×(각 ㄴㄱㄹ)+2×(각 ㄷㄱㄹ)=180°
(각 ㄴㄱㄹ)+(각 ㄷㄱㄹ)=90°
따라서 각 ㄴㄱㄷ이 90°인 직각삼각형입니다.

2 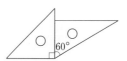 원 안의 정삼각형을 회전시키면
원 바깥의 정삼각형의 넓이의 $\frac{1}{4}$
이 됨을 알 수 있습니다.

3 선분 ㄱㅇ, 선분 ㄴㅇ, 선분 ㄷㅇ의 길이가 모두
같으므로 삼각형 ㅇㄱㄴ, ㅇㄴㄷ, ㅇㄷㄱ이 모두
이등변삼각형이 됩니다.
따라서 2×{(각 ㉠)+(각 ㉡)+(각 ㉢)}=180°이
므로 (각 ㉠)+(각 ㉡)+(각 ㉢)=180°÷2=90°입
니다.

4 (각 ㄱㄹㅁ)=(180°−80°)÷2=50°이므로
(각 ㄹㅁㄷ)=50°입니다.
따라서 (각 ㅁㄹㄷ)=(180°−50°)÷2=65°입니다.

5 삼각형 ㄱㄴㅁ은 이등변삼각형이므로 변 ㄱㅁ의
길이는 변 ㄱㄴ의 길이와 같은 49 cm이고, 변 ㄴ
ㅁ의 길이는 126−(49+49)=28(cm)입니다.
사각형 ㄴㄷㄹㅁ은 정사각형이므로 변 ㄴㄷ,
변 ㄷㄹ, 변 ㄹㅁ의 길이도 28 cm입니다.
따라서 전체 도형의 둘레의 길이는
49+28+28+28+49=182(cm)입니다.

6 둔각은 90°보다 크고 180°보다 작은 각이므로 삼각자
2개를 이용하여 만들 수 있는 가장 큰 둔각은
90°+60°=150°로 다음과 같습니다.

예각은 직각보다 작은 각이므로 만들 수 있는 가장
작은 예각은 45°−30°=15°로 다음과 같습니다.

따라서 가장 큰 둔각과 가장 작은 예각의 차는
$150°-15°=135°$입니다.

7 삼각형 ㄱㄹㅁ은 이등변삼각형이고 각 ㄹㄱㅁ은 $30°$이므로 각 ㄱㄹㅁ은 $75°$입니다. 그런데 각 ㄱㄹㄴ은 $45°$이므로 각 ㄴㄹㅁ은 $75°-45°=30°$입니다.

8

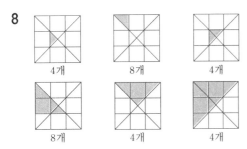

4개   8개   4개
8개   4개   4개

➡ $4+8+4+8+4+4=32$(개)

9 도형의 둘레는 삼각형이 1개일 때 $3×3$, 삼각형이 2개일 때 $3×4$, 삼각형이 3개일 때 $3×5$이므로 삼각형이 8개일 때는 $3×(8+2)=30$(cm)입니다.

10 각 ㄹㄷㄴ과 각 ㄹㄴㄷ은 $35°$이므로 각 ㄴㄹㄷ은 $180°-35°-35°=110°$입니다.
각 ㄴㄹㄱ과 각 ㄴㄱㄹ은 $180°-110°=70°$이므로 각 ㄱㄴㄹ은 $180°-70°-70°=40°$입니다.

11 $(18+18+12)÷(4+4+4)=48÷12=4$(개)

12 각 ㄱㄷㄹ의 크기는 $60°$이므로 각 ㄴㄷㄱ의 크기는 $180°-60°=120°$입니다.
따라서 각 ㄱㄴㄷ의 크기는 $(180°-120°)÷2=30°$입니다.

13 삼각형 ㄱㄴㅇ은 이등변삼각형이므로 (각 ㄱㅇㄴ)$=180°-42°-42°=96°$입니다.
삼각형 ㄱㅇㄷ은 이등변삼각형이고 (각 ㄱㅇㄷ)$=180°-96°=84°$이므로 (각 ㉮)$=(180°-84°)÷2=48°$입니다.

14 삼각형 ㄱㄹㄷ은 이등변삼각형이므로 (각 ㄱㄹㄷ)$=180°-24°-24°=132°$입니다.
(각 ㄱㄴㄹ)$=24°$, (각 ㄱㄹㄴ)$=180°-132°=48°$이므로 (각 ㉮)$=180°-24°-48°=108°$입니다.

15 삼각형 ㄱㄹㅁ은 이등변삼각형이므로 (각 ㄹㄱㅁ)$=(180°-90°-60°)÷2=15°$입니다.
따라서 (각 ㉮)$=180°-15°-90°=75°$입니다.
삼각형 ㄴㄷㅁ은 이등변삼각형이고 각 ㅁㄷㄴ은 $15°$이므로 (각 ㄱㄴㅁ)$=90°-15°=75°$입니다.
각 ㄴㄱㄷ은 $45°$이므로

(각 ㉯)$=180°-75°-45°=60°$입니다.

16 삼각형은 모두 이등변삼각형이므로 삼각형의 두 밑각은 각각 $(180°-36°)÷2=72°$입니다.
가운데 오각형의 한 각은 $180°-72°=108°$이므로 둔각이고 찾을 수 있는 둔각삼각형은 모두 5개입니다.

17 각 ㄱㄷㄴ의 크기는 $180°-60°-60°=60°$이므로 삼각형 ㄱㄴㄷ은 정삼각형입니다.
변 ㄱㄷ의 길이는 15 cm이고 삼각형 ㄱㄷㄹ은 이등변삼각형이므로 삼각형 ㄱㄷㄹ의 둘레는 $15+15+9=39$(cm)입니다.

18 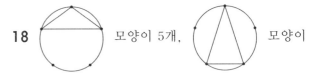 모양이 5개, 모양이

5개이므로 모두 10개를 만들 수 있습니다.

[풀이]

1 (각 ㅁㄴㄷ)$+$(각 ㅁㄷㄴ)$=(180°-60°)÷3=40°$
따라서 (각 ㄴㅁㄷ)$=180°-40°=140°$

2

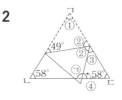

(각 ①)=180°−58°−58°=64°

(각 ②)=180°−64°−49°=67°

(각 ③)=180°−67°−67°=46°

(각 ④)=180°−58°−46°=76°

(각 ㉠)=180°−76°=104°

3 (각 ㄴㄱㄹ)=(각 ㄹㄱㅁ)=(각 ㄱㄴㄹ)
　　　　　　　　=(각 ㄱㄷㅁ)이므로

각 ㄱㄷㅁ의 크기는 (180°−40°)÷4=35°입니다.

따라서 각 ㄱㅁㄷ의 크기는 180°−35°−40°=105°
입니다.

4 1개짜리 : 32개

4개짜리 : 18개

9개짜리 : 8개

16개짜리 : 2개

➜ 32+18+8+2=60(개)

5 3개의 점을 이어서 정삼각형을 만들 수 있는 방법
은 다음 그림과 같이 12가지입니다.

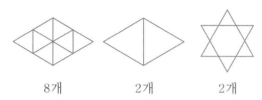

　　8개　　　　2개　　　　2개

6 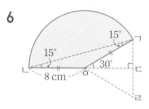　삼각형 ㄱㅇㄹ이 정삼각형
이므로 선분 ㄱㄷ은 선분
ㄱㄹ의 $\frac{1}{2}$인 4 cm입니다.

7 (각 ㄴㅁㄹ)=25°

(각 ㅁㄹㄱ)=50°이므로 (각 ㄹㄱㅁ)=50°

(각 ㄹㅁㄱ)=180°−(50°×2)=80°

(각 ㄱㅁㄷ)=180°−(25°+80°)=75°

(각 ㄱㄷㅁ)=75°이므로 (각 ㉠)=180°−75°=105°

8 삼각형 ㄱㄴㄷ이 이등변삼각형이므로

(각 ㄱㄴㄷ)=65°

(각 ㄱㄷㄴ)=180°−(65°+65°)=50°

삼각형 ㄱㄷㄹ이 정삼각형이므로

(각 ㄹㄷㄱ)=60°, (변 ㄴㄷ)=(변 ㄷㄹ)

따라서, 삼각형 ㄴㄷㄹ이 이등변삼각형이므로

(각 ㉠)={180°−(50°+60°)}÷2=35°입니다.

9 선분 ㄹㄷ과 선분 ㄴㄷ은 길이가 같으므로
삼각형 ㄴㄷㄹ은 이등변삼각형입니다.

(각 ㅁㄹㄷ)=(각 ㄴㄷㄹ), (각 ㅁㄹㄷ)=(각 ㄹ
ㄴㄷ), (각 ㄷㄹㄴ)=(각 ㄹㄷㄴ)이므로

(각 ㄴㄷㄹ)=(각 ㄹㄴㄷ)=(각 ㄷㄹㄴ)입니다.

따라서 삼각형 ㄹㄴㄷ은 정삼각형이 됩니다.

10 (각 ㄴㄱㅁ)=90°−60°=30°

삼각형 ㄱㄴㅁ은 변 ㄱㅁ, 변 ㄱㄴ의 길이가 같
은 이등변삼각형이므로

(각 ㄱㅁㄴ)=(180°−30°)÷2=75°

마찬가지 방법으로 (각 ㄹㅁㄷ)=75°이므로

(각 ㄴㅁㄷ)=360°−(60°+75°+75°)=150°

11 오른쪽 그림과 같이 대각
선 ㄱㄷ을 그리면
변 ㄱㄴ과 변 ㄴㄷ의 길이
가 같고 각 ㄱㄴㄷ의 크기
가 60°이므로 삼각형 ㄱㄴ
ㄷ은 정삼각형입니다.

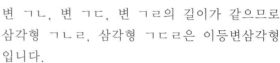

(각 ㄹㄱㄷ)=150°−60°=90°

변 ㄱㄴ, 변 ㄱㄷ, 변 ㄱㄹ의 길이가 같으므로
삼각형 ㄱㄴㄹ, 삼각형 ㄱㄷㄹ은 이등변삼각형
입니다.

따라서 (각 ㄱㄹㄴ)=15°, (각 ㄱㄹㄷ)=45°이므로
(각 ㄷㄹㄴ)=45°−15°=30°입니다.

12 원 위에 6개의 점이 일정한 간격으로 찍혀 있으므로
다음 그림과 같이 각 점에서 이웃하는 두 점을 연결
하여 6개의 이등변삼각형을 만들 수 있습니다.

그리고 다음과 같이 2개의 정삼각형을 만들 수 있는
데, 이것도 이등변삼각형이라고 할 수 있습니다.

이등변삼각형이 아닌 삼각형은 각 점에서 다음과 같
이 2개씩 모두 12개를 만들 수 있습니다.

따라서, 이등변삼각형이 아닌 삼각형은 이등변삼각
형보다 12−(6+2)=4(개) 더 많습니다.

13 각 ㅂㅇㄹ은 130°이므로
각 ㅂㄷㄹ은 360°−90°−90°−130°=50°입니다.
각 ㄴㄷㅂ은 40°이고 삼각형 ㅂㄴㄷ은 이등변삼각형
이므로 각 ㅂㄴㄷ은 (180°−40°)÷2=70°입니다.

14 〈(5), (4, 1), (3, 2)〉
〈(6), (5, 1), (4, 2)〉
〈(7), (6, 1), (5, 2)〉
〈(8), (7, 1), (6, 2)〉
〈(9), (8, 1), (7, 2)〉
〈(9, 1), (8, 2), (7, 3)〉
〈(9, 2), (8, 3), (7, 4)〉
〈(9, 3), (8, 4), (7, 5)〉
〈(9, 4), (8, 5), (7, 6)〉
〈(9, 5), (8, 6), (7, 5, 2)〉
〈(9, 6), (8, 7), (5, 4, 3, 2, 1)〉
한 변의 길이가 5 cm인 정삼각형부터 15 cm인
정삼각형까지 모두 만들 수 있으므로 11가지입니
다.

15 각각의 둔각을 이용하여 찾을 수 있는 둔각삼각
형의 개수를 나타내면 다음과 같습니다.

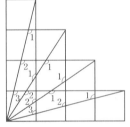

따라서 크고 작은 둔각삼각형은
(3+2+1)+(2+1+1)+(2+1+1)+(3+2+1)
=20(개)입니다.

16 3×3 점판 위에서는 그릴 수 없고 4×4 점판 위에
서만 그려지는 것은 다음과 같이 모두 9가지입니다.

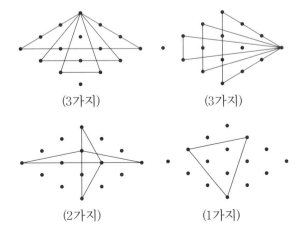

(3가지)　　　　　(3가지)

(2가지)　　　　　(1가지)

17 (14, 14, 2), (13, 13, 4), (12, 12, 6), (11, 11, 8),
(10, 10, 10), (9, 9, 12), (8, 8, 14) ➡ 7가지

18 표를 만들어 규칙을 찾아보면 다음과 같습니다.

선분의 개수	예각의 개수	규칙
3	2	2
4	5	3+2
5	9	4+3+2
6	14	5+4+3+2
⋮	⋮	⋮
10	44	9+8+⋯+2

따라서 각을 이루는 선분의 개수가 10개일 때
예각은 44개입니다.

3. 사각형과 다각형

s earch 탐구 98

풀이
마름모, 정사각형, 평행사변형, 직사각형, 마름
모, 정사각형, 직사각형, 정사각형, 마름모, 정사
각형, 정사각형

답 정사각형

EXERCISE 1

1 56 cm　　　　　　　**2** ⑥, ⑧

[풀이]

1 변 ㄱㅂ과 변 ㅁㅂ의 길이가 같고
사각형 ㅁㅂㄷㄹ은 마름모이므로
(변 ㄱㅂ)=(변 ㅁㅂ)=(변 ㅁㄹ)
=(변 ㄹㄷ)=(변 ㄷㅂ)=8 cm입니다.
사각형 ㄱㄴㄷㄹ은 평행사변형이므로
(변 ㄱㄴ)=(변 ㄹㄷ)=8 cm이고,
삼각형 ㅁㅂㄹ에서 (변 ㅁㅂ)=(변 ㅁㄹ)이므로
(각 ㅁㅂㄹ)=(각 ㅁㄹㅂ)
=(180°−60°)÷2=60°입니다.
삼각형 ㅁㅂㄹ은 세 각의 크기가 모두 60°로 같으
므로 정삼각형이고 (변 ㅂㄹ)=8 cm이므로
(변 ㄱㄹ)=(변 ㄴㄷ)=8+8=16(cm)입니다.
따라서 도형 ㄱㄴㄷㄹㅁㅂ의 둘레는
8+8+16+8+8+8=56(cm)입니다.

풀이

8, 3, 5, 5, 8, 40, 40, 20

답 20

EXERCISE 2

1 ③, ⑤　　　　　**2** 십각형

3 ③

[풀이]

2 꼭짓점의 수를 □개라 할 때, 대각선의 개수가 35
개이므로 □×(□−3)=70
위의 식을 만족시키는 □를 알아보면

□	6	7	8	9	10	11
□−3	3	4	5	6	7	8
곱	18	28	40	54	70	88

따라서 십각형입니다.

3 ① ② ④ ⑤

왕 문제 **100~105**

1 가 : 마름모, 나 : 정사각형

2 직사각형　　　　**3** 90개

4 (1) 60°　　　　(2) 144°

5 평행사변형　　　**6** 9 cm

7 ㉠ : 0, ㉡ : 20　　**8** 29°

9 60°　　　　　**10** 126 cm

11 40개　　　　**12** 정사각형

13 14개　　　**14** ㉠ : 108°, ㉡ : 36°

15 306개　　　　**16** 125°

17 (1) 70°　　　　(2) 30°

18 9　　　　　**19** 3개

20 144 cm

[풀이]

1 정사각형은 네 각이 모두 직각이고 네 변의 길이
가 모두 같기 때문에 직사각형인 동시에 마름모
이기도 합니다.

2 각 ㄷㅇㄹ은 90°이므로 각 ㅇㄷㅁ도 90°, 각 ㄷㅁ
ㄹ도 90°, 각 ㅁㄹㅇ도 90°가 됩니다.
따라서 네 각이 모두 90°인 직사각형입니다.

3 1개짜리 : 15개, 2개짜리 : 22개
3개짜리 : 14개, 4개짜리 : 14개
5개짜리 : 3개, 6개짜리 : 10개
8개짜리 : 4개, 9개짜리 : 3개
10개짜리 : 2개, 12개짜리 : 2개
15개짜리 : 1개
따라서 모두 90개입니다.

별해
가로에서 선분 2개를 선택하는 방법은 15개,
세로에서 선분 2개를 선택하는 방법은 6개이므로
15×6=90(개)입니다.

4 (2) 모든 각의 크기의 합은 180°×(10−2)=1440°
이므로 한 각의 크기는 1440°÷10=144°입니다.

5 선분 ㄱㅁ과 선분 ㅂㄷ의 길이가 같으므로 마주
보는 한 쌍의 변이 평행하고 그 길이가 같습니다.
따라서 평행사변형이 됩니다.

6 ㉠의 길이는 12 cm의 $\frac{1}{4}$이 되므로 3 cm이고,

㉡의 길이는 12 cm의 $\frac{2}{4}$가 되므로 6 cm입니다.

따라서 3+6=9(cm)입니다.

7 대각선의 길이는 아무리 짧더라도 0 cm보다는 길
고, 아무리 길더라도 10+10=20(cm)보다는 짧
습니다.

8 사각형 ㄱㄴㄷㄹ이 정사각형이므로
(각 ㄴㄷㄹ)=90°
사각형 ㄹㄷㅁㅂ이 평행사변형이므로
(각 ㄹㄷㅁ)=180°−148°=32°
(변 ㄴㄷ)=(변 ㄷㄹ)=(변 ㅁㅂ)=(변 ㄷㅁ)이
므로 삼각형 ㄴㄷㅁ은 이등변삼각형입니다.
따라서 (각 ㅁㄴㄷ)=(180°−90°−32°)÷2=29°

9

변 ㄹㄷ에 평행한 선분 ㄱㅁ을 그으면 사각형
ㄱㅁㄷㄹ은 평행사변형이 되므로 삼각형 ㄱㄴ
ㅁ은 정삼각형이 됩니다.
따라서 각 ㄱㄴㄷ은 60°입니다.

10 둘레의 길이는 정삼각형의 한 변이 12개, 정사 각형의 한 변이 9개 있으므로
$6 \times 12 + 6 \times 9 = 126$(cm)입니다.

11 $\square$: 20개, $\boxminus$: 12개

$\boxminus$: 6개, $\boxplus$: 2개

따라서 찾을 수 있는 정사각형은 모두
$20 + 12 + 6 + 2 = 40$(개)입니다.

12 삼각형 ㄱㅁㅇ, ㄴㅂㅁ, ㄷㅅㅂ, ㄹㅇㅅ은 모두 모양과 크기가 같은 삼각형이므로
(변 ㅇㅁ)=(변 ㅁㅂ)=(변 ㅂㅅ)=(변 ㅅㅇ)
입니다. (각 ㄱㅁㅇ)+(각 ㄴㅁㅂ)=90°이므로
(각 ㅇㅁㅂ)=180°−90°=90°입니다.
이와 같은 방법으로 각 ㅁㅂㅅ, 각 ㅂㅅㅇ, 각 ㅅㅇㅁ도 모두 90°가 됩니다.
따라서 사각형 ㅁㅂㅅㅇ은 정사각형입니다.

13 1개짜리 : 4개, 2개짜리 : 5개
3개짜리 : 2개, 4개짜리 : 2개
6개짜리 : 1개
➡ $4+5+2+2+1=14$(개)

14 정오각형의 한 각의 크기는
$(3 \times 180°) \div 5 = 108°$이므로 각 ㉠은 108°입니다.
삼각형 ㄱㄴㄷ과 삼각형 ㄱㄹㅁ은 이등변삼각형 이므로
(각 ㄴㄱㄷ)=(각 ㄹㄱㅁ)
$= (180°−108°) \div 2 = 36°$입니다.
따라서 (각 ㉡)$=108°−(36° \times 2)=36°$입니다.

15 정사각형 : 2개
정오각형 : $2+3=5$(개)
정육각형 : $2+3+4=9$(개)
정칠각형 : $2+3+4+5=14$(개)
⋮   ⋮
이와 같은 규칙에 따르면 정십이각형의 대각선 의 개수는 $2+3+4+5+ \cdots +10=54$(개)이고 정이십사각형의 대각선의 개수는
$2+3+4+ \cdots +22=252$(개)이므로
개수의 합은 $54+252=306$(개)입니다.
[별해]
(정십이각형의 대각선의 개수)
$=12 \times (12−3) \div 2 = 54$(개)
(정이십사각형의 대각선의 개수)
$=24 \times (24−3) \div 2 = 252$(개)
따라서 $54+252=306$(개)입니다.

16 평행사변형을 접은 것이므로
(각 ㅁㅇㅅ)=(각 ㄱㅁㅇ)=(각 ㄱㄹㄷ)=70°
(각 ㅂㅅㅇ)=180°−70°=110°
(각 ㅇㅁㅂ)=(180°−70°)÷2=55°
➡ (각 ㅁㅂㅅ)$=360°−(70°+110°+55°)$
$=125°$

17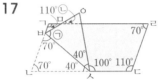

(1) 각 ㅇㅅㅂ은 각 ㅂㅅㄴ과 같으므로 40°입니다.
따라서 각 ㅅㅂㄴ은 $180°−(70°+40°)=70°$이 고 각 ㉠은 각 ㅅㅂㄴ과 같으므로 70°입니다.

(2) (각 ㄱㄴㅂ)$=180°−(70°+70°)=40°$이고, 각 ㅂㄱㅁ은 110°이므로
(각 ㄱㅁㅂ)$=180°−(110°+40°)=30°$
따라서 각 ㉡은 30°입니다.

18 주어진 그림에서 찾을 수 있는 사다리꼴은 사각 형 ㄱㄴㅂㅁ, ㅁㅂㅇㅅ, ㅅㅇㄷㄹ, ㄱㄴㅇㅅ, ㅁㅂㄷㄹ, ㄱㄴㄷㄹ이므로 6개이고 평행사변형은 사각형 ㄱㄴㅇㅅ, ㅅㅇㄷㄹ, ㄱㄴㄷㄹ이므로 3 개입니다.
따라서 사다리꼴의 개수와 평행사변형의 개수를 모두 더하면 9개입니다.

19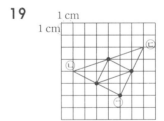

㉠, ㉡, ㉢ 각각을 꼭짓점으로 하여 3개의 평행 사변형을 만들 수 있습니다.

20 각 ㄴㄷㄹ은 60°이므로 각 ㅁㄷㄹ과 각 ㄹㅁㄷ 은 30°이고 삼각형 ㅁㄷㄹ은 이등변삼각형입니다.
각 ㅁㄱㄴ과 각 ㄱㅁㄴ은 60°이므로
삼각형 ㄱㄴㅁ은 정삼각형입니다.
따라서 변 ㄱㄹ의 길이는 $24+24=48$(cm)이므

로 평행사변형 ㄱㄴㄷㄹ의 네 변의 길이의 합은
$(24+48) \times 2 = 144 \text{(cm)}$입니다.

왕중왕문제 106~111

1 $720°$	**2** 평행사변형
3 $94°$	**4** $360°$
5 풀이 참조	**6** $120°$
7 정십오각형	**8** 23개
9 102개	**10** $80°$
11 402개	
12 (1) $67.5°$	(2) 7종류
13 $72°$	**14** $136°$
15 13개	**16** 39개
17 253개	**18** 39개
19 $105°$	**20** 57개

[풀이]

1

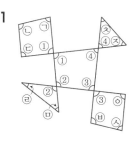

(각 ㉠)~(각 ㉾)의 합은
$(360° + 180° + 360° + 180°)$
$-360° = 720°$입니다.

2 선분 ㅁㄹ과 선분 ㄴㅂ은 평행하므로
(각 ㄱㅁㄴ)=(각 ㅁㄴㅂ)이고,
(각 ㅁㄴㅂ)=(각 ㅁㄹㅂ)이므로
(각 ㄱㅁㄴ)=(각 ㅁㄹㅂ)입니다.
따라서 선분 ㅁㄴ과 선분 ㄹㅂ이 평행하므로
사각형 ㅁㄴㅂㄹ은 평행사변형입니다.

3

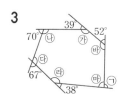

위 그림을 4개의 삼각형으로 나눌 수 있으므로
(각 ㉮+각 ㉯+각 ㉰+각 ㉱+각 ㉲+각 ㉳)
$= 4 \times 180° = 720°$
(각 ㉮+$39°$)+(각 ㉯+$70°$)+(각 ㉰+$67°$)
+(각 ㉱+$38°$)+(각 ㉲+각 ㉠)+(각 ㉳+$52°$)

$= 180° \times 6 = 1080°$이므로
$39° + 70° + 67° + 38° + 52° + ($각 ㉠$) = 1080° - 720°$
(각 ㉠) $= (1080° - 720°) - (39° + 70° + 67° + 38° + 52°)$
$= 94°$

4 정육각형은 삼각형 4개로 나눌 수 있고 정팔각형
은 삼각형 6개로 나눌 수 있으므로
㉯-㉮$= 180° \times (8-6) = 360°$입니다.

5

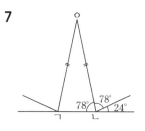

6

$2 \times ($각 ㉠$) + ($각 ㉡$) = 90°$
(각 ㉠) $= 30°$
따라서 (각 ㄹㄱㄴ)$= 180° - (30° + 30°) = 120°$

7

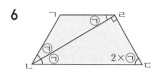

정다각형의 한 각은 $180° - 24° = 156°$이고, 정다각
형의 중심인 점 ㅇ과 점 ㄱ, 점 ㄴ을 연결한 삼각
형 ㅇㄱㄴ은 이등변삼각형이므로
(각 ㅇㄱㄴ)$= 78°$
(각 ㄱㅇㄴ)$= 180° - 78° \times 2 = 24°$
따라서 $360° \div 24° = 15$이므로 이 정다각형은 정십
오각형입니다.

8

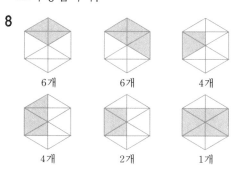

6개   6개   4개

4개   2개   1개

9 2개짜리 : 18개, 3개짜리 : 27개
4개짜리 : 18개, 5개짜리 : 12개
6개짜리 : 6개,   7개짜리 : 3개

8개짜리 : 12개, 12개짜리 : 3개

15개짜리 : 3개

따라서 모두 102개입니다.

10 삼각형 ㄱㄴㄷ이 정삼각형이므로 각 ㄱㄴㄷ은 60°이고, 사각형 ㄴㄹㅁㄷ이 마름모이므로

각 ㄷㄴㄹ은 $180°-140°=40°$입니다.

각 ㄱㄴㄹ은 $60°+40°=100°$이고,

삼각형 ㄱㄴㄹ이 이등변삼각형이므로 각 ㄹㄱㄴ과 각 ㄴㄹㄱ은 각각 $(180°-100°)÷2=40°$입니다.

따라서 각 ㉮는 $180°-(60°+40°)=80°$입니다.

11

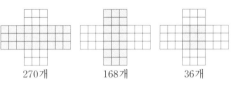

270개   168개   36개

따라서 $270+168-36=402(개)$입니다.

12

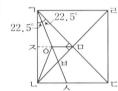

(1) 삼각형 ㄱㅂㅁ에서

(각 ㄱㅂㅁ)$=180°-(90°+22.5°)=67.5°$

(각 ㄴㅂㅅ)$=$(각 ㄱㅂㅁ)$=67.5°$

(2) 삼각형 ㄱㄴㅅ에서

(각 ㄴㅅㄱ)$=180°-(90°+22.5°)=67.5°$

선분 ㄱㄹ과 선분 ㅇㅁ과 선분 ㄴㄷ이 평행하므로

(각 ㄴㅅㅂ)$=$(각 ㅁㅇㅂ)$=$(각 ㄹㄱㅂ)

$=67.5°$

따라서 삼각형 ㄴㅅㅂ, 삼각형 ㅁㅇㅂ, 삼각형 ㄹㄱㅂ은 이등변삼각형입니다.

또 삼각형 ㅁㄴㄷ, 삼각형 ㄴㄷㄱ은 한 각이 직각인 이등변삼각형입니다.

선분 ㅇㅁ의 연장선과 변 ㄱㄴ과 만나는 점을 점 ㅈ이라고 하면, 각 ㄱㅈㅇ은 90°이고, 삼각형 ㄱㅈㅇ과 삼각형 ㄴㅈㅇ은 크기와 모양이 같으므로

(각 ㅇㅅㄴ)$=$(각 ㄱㅇㅈ)$=$(각 ㄴㅇㅈ)

$=$(각 ㅇㄴㅅ)$=67.5°$

(각 ㅈㄴㅇ)$=90°-67.5°=22.5°$입니다.

따라서 삼각형 ㄱㄴㅇ과 삼각형 ㅇㄴㅅ은

이등변삼각형입니다.

13 정오각형의 한 내각의 크기는

$180°×3÷5=108°$입니다.

각 ㄴㄱㄷ은 $(180°-108°)÷2=36°$이므로

각 ㉮는 $108°-36°=72°$입니다.

14 (각 ㄴㄱㅁ)$=$(각 ㅁㄱㅇ)$=$(각 ㅇㄱㄹ)

$=132°÷3=44°$

(각 ㄱㄴㅁ)$=$(각 ㄱㄹㅇ)

$=180°-132°=48°$이므로

(각 ㄱㅁㅅ)$=48°+44°=92°$,

(각 ㄱㅇㅅ)$=180°-44°-48°=88°$입니다.

따라서 (각 ㉮)$=360°-44°-92°-88°=136°$입니다.

15

7개

4개

1개

1개

따라서 모두 13개 만들 수 있습니다.

16 i) 대각선을 포함하지 않는 경우

사각형 한 칸짜리 : 8개

두 칸짜리 : 10개

세 칸짜리 : 4개

네 칸짜리 : 5개

여섯 칸짜리 : 2개

여덟 칸짜리 : 1개

따라서 모두 30개

ii) 대각선을 포함하는 경우

①번 대각선만 한 변으로 하는 사각형과 ②번 대각선만 한 변으로 하는 사각형을 각각 4개씩 만들 수 있습니다.

①번과 ②번을 모두 포함하는 사각형은 1개 만들 수 있습니다.

따라서 만들 수 있는 사각형은 $30+4+4+1=39(개)$

입니다.

17 오각형에서는 삼각형 3개, 사각형 2개, 오각형 1
개로 모두 3+2+1＝6(개)입니다.

육각형에서는 삼각형 4개, 사각형 3개, 오각형 2개,
육각형 1개로 모두 4+3+2+1＝10(개)입니다.
따라서 이십사각형의 한 꼭짓점에서 대각선을 모두
그으면 다각형은 모두

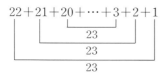

23이 11개 있으므로 23×11＝253(개)입니다.

18 삼각형 2개로 이루어진 평행사변형의 개수 : 4개
삼각형 4개로 이루어진 평행사변형의 개수 :
5+4+4＝13(개)
삼각형 8개로 이루어진 평행사변형의 개수 :
4+3+3＝10(개)
삼각형 12개로 이루어진 평행사변형의 개수 :
3+2+2＝7(개)
삼각형 16개로 이루어진 평행사변형의 개수 :
2+1+1＝4(개)
삼각형 20개로 이루어진 평행사변형의 개수 :
1개
따라서 크고 작은 평행사변형은
4+13+10+7+4+1＝39(개)입니다.

19

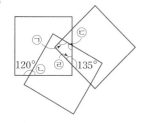

(각 ㉃)＝180°−120°＝60°이므로
(각 ㉆)＝360°−90°−90°−60°＝120°입니다.
(각 ㉁)＝180°−135°＝45°이므로
(각 ㉠)＝360°−90°−120°−45°＝105°입니다.

20 삼각형 2개로 이루어진 평행사변형 :
8+8+5＝21(개)

삼각형 4개로 이루어진 평행사변형 :
6+6+3+3＝18(개)
삼각형 6개로 이루어진 평행사변형 :
4+4＝8(개)
삼각형 8개로 이루어진 평행사변형 :
2+2+2+2＝8(개)
삼각형 12개로 이루어진 평행사변형 :
1+1＝2(개)
➡ 21+18+8+8+2＝57(개)

4. 평면도형의 이동

search 탐구 113

풀이

1, 1

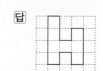
답

EXERCISE

1 풀이 참조   **2** 풀이 참조

[풀이]

1 오른쪽 모양을 위쪽으로 뒤집고 시계 방향으로
90°만큼 돌리면 처음 도형이 됩니다.

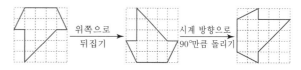

2 오른쪽으로 9번 뒤집은 모양은 오른쪽으로 1번
뒤집은 모양과 같습니다.

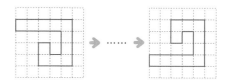

왕 문제 `114~119`

1 풀이 참조	**2** 풀이 참조
3 풀이 참조	**4** ②
5 17점	**6** ③
7 풀이 참조	**8** ④
9 ⑤	**10** ④
11 풀이 참조	**12** 1092
13 2	**14** 270°
15 90°	**16** ㉡, ㉢
17 7473	**18** 29

[풀이]

1
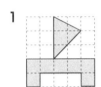
도형을 시계 방향으로 180°만큼 2번 돌리면 처음 도형과 같습니다.

2
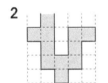 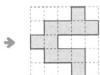

시계 반대 방향으로 90°만큼 4번 돌리면 처음 모양과 같아지므로 6번 돌린 모양은 시계 방향으로 90°만큼 2번 돌린 모양과 같습니다.

3

점선을 기준으로 접었을 때 두 도형은 겹쳐집니다.

4 뒤집기 한 무늬와 시계 방향으로 90°만큼 돌리기 한 무늬가 서로 일치하지 않는 것은 ②번입니다.

(뒤집기 한 무늬)　　(90° 돌리기 한 무늬)

5 • 오른쪽으로 90° 돌리기

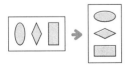 (○) 1점

• 왼쪽으로 90° 돌리기

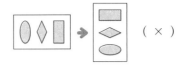 (×)

• 오른쪽으로 180° 돌리기

 (×)

• 왼쪽으로 180° 돌리기

 (×)

• 오른쪽으로 뒤집은 후 왼쪽으로 90° 돌리기

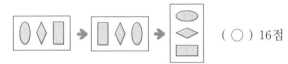 (○) 16점

따라서 1+16=17(점)입니다.

6 오른쪽으로 180° 돌리기 전의 모양은 ①이고, 처음 도형은 ③입니다.

7
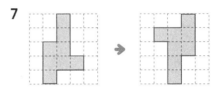

도형을 오른쪽으로 한 번 뒤집은 후 시계 방향으로 180°만큼 돌린 모양과 같습니다.

8 화살표 방향으로 뒤집기를 하면 그림과 같습니다.

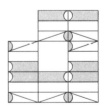

따라서 ㉠에 알맞은 모양은 ④번입니다.

9 주어진 조건에 따라 도형을 움직이면

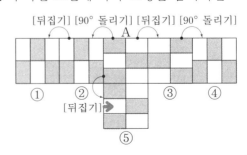

따라서 A를 밀어서 서로 겹치는 것은 ⑤번입니다.

10 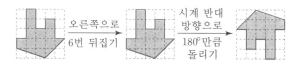 을 시계 반대 방향으로 180°만큼 돌리면

입니다. 이것을 오른쪽으로 계속해서 두

번 뒤집으면 입니다. 따라서 구하는 답은

④번입니다.

11 오른쪽으로 6번 뒤집으면 처음 모양과 같고, 시계 반대 방향으로 90°만큼 6번 돌린 모양은 시계 반대 방향으로 180°만큼 1번 돌린 모양과 같습니다.

오른쪽으로 6번 뒤집기 → 시계 반대 방향으로 180°만큼 돌리기

12 돌리기 전의 식은 91×12이므로 91×12=1092입니다.

13 오른쪽 모양을 위쪽으로 뒤집은 후 시계 방향으로 270° 만큼 2번 돌리면 처음 도형이 됩니다.

14 위쪽으로 3번 뒤집으면 처음 모양과 같고, 왼쪽으로 1번 뒤집으면 좌우가 바뀝니다. 따라서 오른쪽 모양이 되려면 시계 방향으로 90°, 시계 반대 방향으로 270°만큼 돌려야 합니다.

15 오른쪽 도형을 왼쪽으로 뒤집은 후 시계 방향으로 90°만큼 돌리면 처음 도형이 됩니다.

17 시계 방향으로 180°만큼 돌려서 생긴 수 : 8501
아래로 뒤집기하여 생긴 수 : 1028

➜ 8501−1028=7473

18 왼쪽 종이를 오른쪽으로 3번 뒤집으면 오른쪽으로 1번 뒤집은 모양과 같습니다.

4+4+2+2+5+3+4+1+4
=29

왕중왕문제 120~125

1 풀이 참조	**2** 나
3 1, 3, 5, 7	**4** 723
5 풀이 참조	**6** 풀이 참조
7 718	**8** 1230
9 백	**10** ④번 면
11 14번	**12** 13개
13 837	**14** ②
15 1200	**16** 2개
17 1칸	**18** 6가지

[풀이]

1

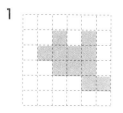

4 가장 큰 수 : 905, 가장 작은 수 : 182

➜ 905−182=723

5

6

7 가장 큰 수는 853이고, 가장 작은 수는 102입니다.

853을 아래쪽으로 뒤집어서 생기는 수는 823이고 102를 아래쪽으로 뒤집어서 생기는 수는 105이므로 두 수의 차는 823−105=718입니다.

8 실제의 식은 15×82이므로 15×82=1230입니다.

9 주어진 모양은 글자 '**백**'을 다음과 같은 방향에서 거울을 비춘 것입니다.

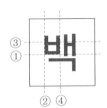

10 각각의 뒤집은 모양을 알아봅니다.

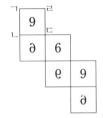

따라서 정사각형 ㄱㄴㄷㄹ과 똑같은 모양은 ④번 면에 나타납니다.

11 2번, 4번, 6번 뒤집었을 때 원은 3개, 6개, 9개로 3개씩 늘어납니다. 따라서 규칙을 찾으면

2($\boxed{1}$×2) → 3($\boxed{1}$×3)

4($\boxed{2}$×2) → 6($\boxed{2}$×3)

6($\boxed{3}$×2) → 9($\boxed{3}$×3)

⋮ ⋮

입니다. 따라서 원의 개수가 21개일 때는

□(△×2) → 21($\boxed{7}$×3)

□=7×2, □=14이므로 모두 14번 뒤집으면 됩니다.

12 셋째 번에 놓아야 할 모양은 다음과 같습니다.

13

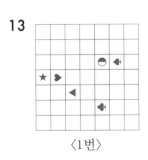

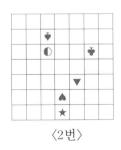

⟨1번⟩ ⟨2번⟩

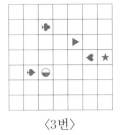

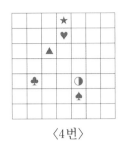

⟨3번⟩ ⟨4번⟩

1번 돌렸을 때, ♥ : 23, ◑ : 19, 두 수의 곱 : 437

2번 돌렸을 때, ♥ : 39, ◑ : 17, 두 수의 곱 : 663

3번 돌렸을 때, ♥ : 27, ◑ : 31, 두 수의 곱 : 837

4번 돌렸을 때, ♥ : 11, ◑ : 33, 두 수의 곱 : 363

따라서 3번 돌렸을 때 두 수의 곱이 837로 가장 큽니다.

14

오른쪽 → 왼쪽 ← 아래쪽 ↓ 위쪽 ↓ 오른쪽 ←

별해

뒤집기를 옆으로 하면 오른쪽과 왼쪽, 위와 아래로 하면 위와 아래의 모양이 바뀝니다. 옆으로 3번, 위와 아래로 2번 뒤집기 하였으므로 처음의 모양과 오른쪽과 왼쪽만 바뀐 것입니다.

에서 오른쪽과 왼쪽만 바뀐 모양은

입니다.

15 위쪽과 아래쪽으로 같은 횟수를 뒤집기 하면 항상 처음 도형과 같습니다. 왼쪽으로 짝수 번 뒤집기하면 항상 처음 도형과 같습니다.

시계 방향으로 90°씩 4번 돌리기 하면 처음 도형과 같습니다.

따라서 □ 안에 공통으로 들어갈 수 있는 수는 100보다 작은 수 중 4로 나누어떨어지는 수입니다.

→ 4+8+12+16+⋯+96=(4+96)×24÷2

=1200

16 오른쪽 종이를 왼쪽으로 5번 뒤집은 모양은 왼쪽으로 1번 뒤집은 모양과 같고 시계 방향으로 90°만큼 7번 돌린 모양은 시계 반대 방향으로 90°만큼 1번 돌린 모양과 같습니다.

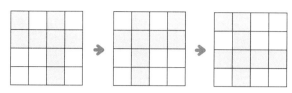

(색칠한 칸의 점의 수)
＝1＋4＋3＋4＋1＋4＋1＋2＝20
(색칠하지 않은 칸의 점의 수)
＝1＋3＋2＋5＋1＋5＋3＋2＝22
➡ 22－20＝2(개)

17

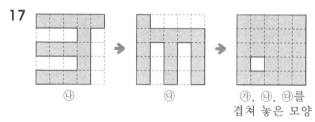

⑭   ⑮   ㉮, ⑭, ⑮를
                      겹쳐 놓은 모양

18

➡ 6가지

풀이
(1) 8, 6, 7, 15, 15, 6 (2) 15, 6, 9, 동민

답 (1) 6 (2) 동민

EXERCISE 1

1 석기 : 15개, 효근 : 9개, 한초 : 27개,
가영 : 21개

2 36개   **3** 120개

[풀이]

1 석기 : 3×5＝15(개), 효근 : 3×3＝9(개)
한초 : 3×9＝27(개), 가영 : 3×7＝21(개)

2 4×9＝36(개)

3 5×(5＋3＋9＋7)＝120(개)

왕문제 **130~135**

1 3반   **2** 풀이 참조
3 2반   **4** 30명
5 5분   **6** 25분
7 25분   **8** 40분
9 1 km 400 m   **10** 3배
11 오전 7시 48분 **12** 4명
13 70명   **14** 3명
15 12, 15, 24, 24, 75 **16** 500원
17 영수, 한솔
18 한솔, 영수, 용희, 석기, 한초
19 4000, 3500, 4500, 2500, 5000, 19500
20 6명   **21** 19칸
22 4.2 cm

[풀이]

2

반별 결석생 수
(단위 : 명)

구분＼반	1	2	3	4	합계
남학생	2	6	1	4	13
여학생	5	3	7	2	17
합계	7	9	8	6	30

5 작은 눈금 6칸이 30분을 나타내므로
1칸은 30÷6＝5(분)을 나타냅니다.

6 (월요일에 읽은 시간)＝50분
(수요일에 읽은 시간)＝50÷2＝25(분)

7 $210-(45+50+30+25+10+25)=25$(분)

8 월요일은 50분, 목요일은 10분이므로
$50-10=40$(분)입니다.

9 $1900-500=1400$(m) ➔ 1 km 400 m

11 용희네 집에서 학교까지의 거리는 900 m이고,
4분 동안 300 m를 걸으므로 900 m는
$4\times3=12$(분) 동안에 갈 수 있습니다.
따라서 오전 8시에 도착하려면
8시-12분=오전 7시 48분에 출발해야 합니다.

12 1반 : $8+5=13$(명)
2반 : $4+8=12$(명)
3반 : $7+8=15$(명)
4반 : $10+6=16$(명)
5반 : $7+7=14$(명)
따라서 $16-12=4$(명)입니다.

13 $13+12+15+16+14=70$(명)

14 막대가 나타내는 전체 눈금의 칸 수를 세어 보면
$4+5+8+8=25$(칸)이고, 이것이 75명을 나타
내므로 눈금 1칸은 3명을 나타냅니다.

16 작은 눈금 2칸이 1000원을 나타내므로 한 칸은
$1000\div2=500$(원)을 나타냅니다.

20 표와 막대그래프에서 짜장면을 좋아하는 사람은
11명, 피자를 좋아하는 사람은 13명, 떡볶이를
좋아하는 사람은 15명이므로 떡국을 좋아하는
사람은 $45-(11+13+15)=6$(명)입니다.

21 차의 수가 가장 많은 95대까지 나타낼 수 있어
야 합니다.
따라서 적어도 $95\div5=19$(칸)이 필요합니다.

22 (포도를 좋아하는 학생 수)$=60-(22+8+13)$
$=17$(명)
(학생 수가 가장 많은 과일의 막대의 길이)
$=22\times3=66$(mm)
(학생 수가 가장 적은 과일의 막대의 길이)
$=8\times3=24$(mm)
따라서 길이의 차는
$66-24=42$(mm)$=4.2$(cm)가 됩니다.

왕중왕문제 **136~141**

1 20분	**2** 36명
3 45명	**4** 24명
5 6명	**6** 4명
7 20명	**8** 6명
9 2명	**10** 48권
11 3가지	**12** 109명
13 65명	**14** 72개
15 186명	**16** 7번
17 55개	**18** ㉠=42, ㉡=31

[풀이]

1 영수가 화요일과 목요일에 책을 읽은 시간은
$50+40=90$(분)이고, 금요일에 책을 읽은 시간은
90분의 $\frac{2}{9}$이므로 20분입니다.

2 수학을 좋아하는 학생 수와 체육을 좋아하는 학
생 수의 합은 $160-(32+28+16+24)=60$(명)입
니다.
따라서 수학을 좋아하는 학생 수는
$(60+12)\div2=36$(명)입니다.

3 눈금 1칸은 $15\div3=5$(명)을 나타내므로 영화관에
가고 싶은 학생 수는
$105-(7\times5+15+2\times5)=45$(명)입니다.

4 포도를 좋아하는 학생을 □명이라 하면
$16+□+□+16+□-2=102$
$□+□+□=72$, $□=72\div3=24$(명)

5 (남학생 수)$=26+36+72+40=174$(명)
(여학생 수)$=44+36+34+54=168$(명)
➔ $174-168=6$(명)

6 (1반)$=8+5=13$(명), (2반)$=7+8=15$(명),
(3반)$=4+8=12$(명), (4반)$=8+6=14$(명),
(5반)$=7+4=11$(명)
따라서 상을 탄 학생이 가장 많은 반과 가장 적은
반의 학생 수의 차는 $15-11=4$(명)입니다.

7 (3000원씩 성금을 낸 학생 수)
$=(212000-16\times1000-24\times2000-12\times4000$
$-8\times5000)\div3000$
$=60000\div3000=20$(명)

8 ㉮$+$㉯$+$㉰$=25-(16+1)=8$

$2×⑦+3×④+4×⑤=40-(16+5)=19$

학생 8명이 19장을 모으는 경우를 알아봅니다.

$2×8+3×0+4×0=16(×)$

$2×7+3×1+4×0=17(×)$

$2×7+3×0+4×1=18(×)$

$2×6+3×1+4×1=19(○)$

따라서 2장씩 모은 학생은 최대 6명입니다.

9 (배구, 야구, 피구를 좋아하는 학생)

$=51-(16+15)=20$(명)

(피구를 좋아하는 최소 학생 수)

$=16+1=17$(명)

(배구와 야구를 좋아하는 학생 수)

$=20-17=3$(명)

배구를 좋아하는 학생 수가 최소가 되려면 배구는 1명, 야구는 2명인 경우입니다.

따라서 야구를 좋아하는 학생은 2명입니다.

10 눈금 한 칸은 $8÷(11-9)=4$(권)을 나타냅니다.

(1반과 4반이 모은 책의 수)

$=$(2반과 3반이 모은 책의 수)

$=(11+9)×4=80$(권)

(2반이 모은 책의 수)$=(80+16)÷2=48$(권)

11 (멜론)+(키위)+(포도)$=28-(2+9)=17$(명)

2보다 크고 9보다 작은 수 중 서로 다른 3개의 수의 합이 17이 되는 경우

$(3, 6, 8), (4, 5, 8), (4, 6, 7)$의 3가지이므로 막대그래프는 3가지를 그릴 수 있습니다.

12 축구를 좋아하는 학생 수를 □명이라 하면

$□+□+□+24+53=332$

$□+□+□=255$

$□=255÷3=85$

따라서 야구를 좋아하는 학생은 $85+24=109$(명)입니다.

13 각 학년의 눈금 수는 1학년이 6칸, 2학년이 9칸, 3학년이 8칸, 4학년이 13칸이므로 전체 눈금 수는 $6+9+8+13=36$(칸)으로 작은 눈금 1칸은 $36×□=180$, $□=5$(명)입니다.

따라서 4학년에 백과사전이 있는 학생 수는 $13×5=65$(명)입니다.

14 석기 : $60÷5=12$(개)

가영 : $60÷2=30$(개)

상연 : $60÷6=10$(개)

예슬 : $60÷3=20$(개)

➡ $12+30+10+20=72$(개)

15 봉사활동에 참가한 남학생의 칸 수는

$7+5+8+6+6=32$(칸)이고 여학생의 칸 수는

$5+8+6+7+4=30$(칸)이므로 한 칸의 크기는

$6÷(32-30)=3$(명)을 나타냅니다.

따라서 봉사활동에 참가한 4학년 학생은 모두

$(32+30)×3=186$(명)입니다.

16 (주사위의 눈이 3과 5가 나온 횟수)

$=33-(8+6+3+5)=11$(번)

(주사위 3과 5가 나온 눈의 합)

$=109-(1×8+2×6+4×3+6×5)=47$

(5가 나온 횟수)$=(47-3×11)÷(5-3)=7$(번)

17 (2반과 5반의 화분의 수)

$=240-(45+60+40)=95$(개)

(2반의 화분 수)$=(95+15)÷2=55$(개)

18 (80점을 맞은 학생 수)

$=\{3560-(20×14+30×8+50×15+70×9+100×7)\}÷80$

$=960÷80=12$(명)

(0점을 받은 학생 수)

$=67-(14+8+15+9+12+7)=2$(명)

50점을 맞은 학생 15명 중 1번과 2번 문제를 맞은 학생은 $39-(7+12+8)=12$(명)이므로 3번만 맞은 학생은 $15-12=3$(명)입니다.

따라서 ㉠$=14+12+9+7=42$,

㉡$=3+9+12+7=31$입니다.

2. 꺾은선그래프

search 탐구 **144**

풀이

(2) 5, 1 (3) 6, 10 (4) 19

답 (1) 시각, 온도 (2) 1 (3) 10 (4) 19

EXERCISE 1

1 (1) 풀이 참조 (2) 1학년

[풀이]

1 (1) 규형이의 몸무게

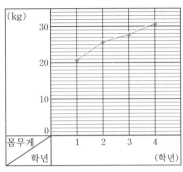

풀이

(1) 2019, 46800, 2017, 45300, 46800, 45300, 1500

(2) 2018   (3) 2020

답 (1) 1500 (2) 2018 (3) 2020

(4) 변화의 모습

EXERCISE 2

1 (나) 그래프

2 (가) 그래프 : 1 cm, (나) 그래프 : 0.1 cm

3 작게 잡습니다.   **4** 4월

5 7월

왕문제 **147~152**

1 (1) 오후 2시   (2) 약 10.5℃

2 (1) 11상자   (2) 목요일

3 ②

4 (1) 200상자   (2) 9월

5 (1) 8 cm

  (2) 내리는 것이 멈춘 때 :

    오후 1시부터 오후 2시까지

    가장 많이 내린 때 :

    오후 3시부터 오후 4시까지

6 (1) 5학년   (2) 34 cm

7 11시 10분

8 (1) 9살, 4 kg   (2) 11살과 12살 사이

9 (1) 2분과 3분 사이   (2) 15 L

10 2020년, 9000명

11 풀이 참조

12 1시간 12분

13 (1) 5살과 6살 사이, 17 kg

   (2) 2 kg

14 가장 많이 오른 사람 : 한솔

   가장 적게 오른 사람 : 상연

15 수요일

16 10배   **17** 효근

[풀이]

1 (1) 오후 2시에 23℃로 온도가 가장 높습니다.

  (2) 9시에 9℃, 10시에 12℃이므로 9시 30분에는
    9℃와 12℃ 사이의 중간값인 약 10.5℃입니다.

2 (1) 가장 많이 판매한 때 : 토요일, 17상자
    가장 적게 판매한 때 : 월요일, 6상자
    ➤ 17-6=11(상자)

3 자료값 중에서 가장 낮은 값을 기준으로 그보다
  낮은 위치에 물결선을 넣어 줍니다.

5 (1) 오전 10시까지 받은 물의 높이 : 2 cm
    오후 5시까지 받은 물의 높이 : 10 cm
    따라서 오전 10시부터 오후 5시까지 비가 내
    린 양은 10-2=8(cm)입니다.

6 (2) 1학년 : 122 cm, 6학년 : 156 cm
    5년 동안 156-122=34(cm) 자랐습니다.

7 영수는 도중에 20분, 40분을 쉬었으므로
  쉬지 않고 다녀오면,
  2시간 40분-(20분+40분)=1시간 40분이 걸리므
  로 9시 30분+1시간 40분=11시 10분에 도착하게
  됩니다.

8 (1) 9살 때 석기 몸무게 : 29 kg
    9살 때 동민이 몸무게 : 25 kg
    따라서 차는 29-25=4(kg)입니다.

9 (2) 세로의 작은 눈금 한 칸은 3 L를 나타냅니다.
    따라서 3×5=15(L)가 흘러나왔습니다.

10 전년에 비해 가장 많이 늘어난 해는 2020년이고
   눈금 한 칸은 1000명을 나타내므로 9000명이 늘

어났습니다.

11 $81 \times 5 - (83 + 94 + 65 + 89) = 74$(점)

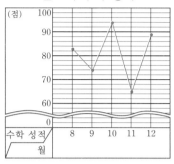

한초의 수학 성적

12 토끼가 $2 \times 2 = 4$(km)를 달린 곳에서 낮잠을 잤습니다.

거북이는 5 km를 4시간에 달리므로 1 km를 48분만에 달린 셈이고, 거북이는 출발한 지 $48 \times 4 = 192$(분) 후에 토끼를 추월합니다.

따라서 토끼는 낮잠을 자기 시작한 지 $192분 - 120분 = 72분 = 1시간$ 12분 후에 추월당합니다.

13 (2) 한별이의 몸무게는 8살과 9살 사이에 가장 많이 늘어났습니다.

따라서 영수의 몸무게는 2 kg 늘었습니다.

14 한솔 : $96 - 70 = 26$(점)

상연 : $82 - 78 = 4$(점)

지혜 : $78 - 60 = 18$(점)

따라서 수학 성적이 가장 많이 오른 사람은 한솔이고, 가장 적게 오른 사람은 상연입니다.

15 수요일에 넘은 줄넘기 횟수 : $622 - (66 + 70 + 78 + 96 + 100 + 114) = 98$(회)

따라서 수요일에 줄넘기 횟수가 가장 많이 증가했습니다.

16 2018년 웅이의 저금액 : 38000원

2018년 신영이의 저금액 : 3800원

따라서 웅이의 저금액은 신영이의 저금액의 10배입니다.

17 예슬 : $52 - 20 = 32$(회)

한초 : $44 - 16 = 28$(회)

효근 : $78 - 45 = 33$(회)

가영 : $60 - 30 = 30$(회)

정답과 풀이

왕중왕 문제 153~158

1 풀이 참조   **2** 8월, 11.5℃

3 약 2.5℃

4 (1) 28, 25, 34, 30, 43   (2) 32회

5 48초

6 (1) 18000원   (2) 6월

7 (1) 3시간   (2) 24 km

8 8500원

9 15분   **10** 76점

11 8시간   **12** 오전 9시

13 64분   **14** 4분

15 340   **16** 50분

[풀이]

1

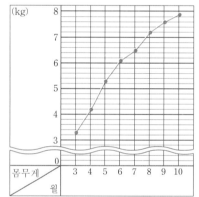

아기의 몸무게

2 8월의 기온 : 32℃

8월의 수온 : 20.5℃

➡ $32℃ - 20.5℃ = 11.5℃$

3 10월의 기온 : 19℃

11월의 기온 : 9℃

10월 16일의 기온 : $(19 + 9) \div 2 = 14(℃)$

10월의 수온 : 18℃

11월의 수온 : 15℃

10월 16일의 수온 : $(18 + 15) \div 2 = 16.5(℃)$

➡ $16.5℃ - 14℃ = 2.5℃$

4 (2) $(28 + 25 + 34 + 30 + 43) \div 5$
$= 160 \div 5 = 32$(회)

5 갑이 1초 동안 가는 거리 : $60 \div 40 = 1\frac{1}{2}$(m)

을이 1초 동안 가는 거리 : $60 \div 60 = 1$(m)

갑과 을이 처음으로 만나는 시간 :

$$120 \div \left(1\frac{1}{2}+1\right)=120 \div 5 \times 2=48(초)$$

6 (1) 실선이 점선보다 위에 있으면 예금 금액이 더 많은 것이므로 차이난 금액만큼을 더하고, 실선이 점선보다 아래에 있으면 찾은 금액이 더 많은 것이므로 차이난 금액만큼을 뺍니다.

따라서 8월 말일에 통장에 남아 있는 돈은
$2000+12000+6000-6000+6000+6000$
$-6000-2000=18000(원)$입니다.

(2) 매월 말일에 남은 예금액을 알아보면,

1월 : 2000원

2월 : $2000+12000=14000(원)$

3월 : $14000+6000=20000(원)$

4월 : $20000-6000=14000(원)$

5월 : $14000+6000=20000(원)$

6월 : $20000+6000=26000(원)$

7월 : $26000-6000=20000(원)$

8월 : $20000-2000=18000(원)$

따라서 말일에 가장 많은 돈이 남아 있었던 때는 6월입니다.

7 (1) 가로 눈금 한 칸 : 20분

휴식을 취한 시간 : 20분

걸은 시간 : $20 \times 9=180(분)$ ➡ 3시간

(2) 관악산에서 학교까지의 거리 : 8 km

돌아올 때 걸린 시간 : 20분

1분 동안 움직인 거리 : $8000 \div 20=400(m)$

1시간 동안 움직인 거리 :
$400 \times 60=24000(m)=24$ km

8 매월 받은 용돈의 합 : $28000+26000+25000$
$+29500+32000+30500=171000(원)$

매월 사용한 용돈의 합 : $22000+25000+27500$
$+27500+28500+32000=162500(원)$

따라서 남아 있는 용돈은
$171000-162500=8500(원)$입니다.

9 3분 동안 넣은 물의 양이 24 L이므로

1분 동안 $24 \div 3=8(L)$씩 넣은 것입니다.

6분 이후에 넣어야 할 물의 양은 $84-12=72(L)$이므로 $72 \div 8=9(분)$이 걸립니다.

따라서 처음부터 $6+9=15(분)$ 후입니다.

10 세로의 작은 눈금 한 칸의 크기 : 4점

월요일 : 68점, 화요일 : 76점, 수요일 : 52점,

목요일 : 76점, 금요일 : 88점, 토요일 : 96점

$(68+76+52+76+88+96) \div 6=76(점)$

11 1시간에 50 km씩 달리므로 $400 \div 50=8(시간)$이 걸립니다.

12 할머니댁에서 식당까지의 거리는
$400-250=150(km)$이므로 $150 \div 50=3(시간)$ 전에 출발해야 합니다.

➡ 12시$-$3시간$=$9시

13 나 수도꼭지로 1분에 사용하는 물의 양 :
$(80-40) \div (22-14)=5(L)$

가, 나 수도꼭지로 1분에 사용하는 물의 양 :
$(192-80) \div 14=8(L)$

가 수도꼭지로 1분에 사용하는 물의 양 :
$8-5=3(L)$

따라서 가 수도꼭지로 물을 모두 사용하려면
$192 \div 3=64(분)$이 걸립니다.

14 나 수도꼭지로 1분에 빼내는 물의 양 :
$(30-18) \div 4=3(L)$

가 수도꼭지로 1분에 넣는 물의 양 :
$(24-18) \div 3=2(L)$이므로
$3+2=5(L)$입니다.

따라서 가 수도꼭지로 20 L의 물을 모두 채우려면 $20 \div 5=4(분)$이 걸립니다.

15 연못 둘레의 반은 250 m이므로

$㉠=(250+40) \div 2+50=195$

$㉡=(250+40) \div 2=145$

따라서 $㉠+㉡=195+145=340$입니다.

16 가 수도꼭지로 1분에 넣는 물의 양 : $20 \div 5=4(L)$

나 수도꼭지로 1분에 넣는 물의 양 :
$\{20-(4 \times 3)\} \div 8=1(L)$

따라서 $50 \div 1=50(분)$입니다.

Ⅳ 규칙성과 대응

1. 규칙적으로 반복되는 유형에 관한 문제 (주기산)

s e a r c h 탐구 **160**

풀이

2, 40, 2, 40, 2, 82

답 82

EXERCISE

1 ◯▢△△▢△

2 50묶음, 5개   **3** 152개

[풀이]

2 $305 \div 6 = 50 \cdots 5$

따라서 50묶음이 되고 나머지는 5개입니다.

3 한 묶음당 3개씩 있으므로 $3 \times 50 + 2 = 152$(개)입니다.

왕 문제 **161~164**

1 171개	**2** 5
3 160	**4** 100원
5 4530원	**6** 63번째
7 금요일	**8** 화요일
9 9월 25일	**10** 월요일
11 6	**12** 135

[풀이]

1 △◯★◯★★△ 가 반복되며, 반복되는 부분에 ★은 3개씩 포함됩니다.

$400 \div 7 = 57 \cdots 1$이므로 $3 \times 57 = 171$(개)입니다.

2 1, 3, 5, 2, 4가 반복되므로 $183 \div 5 = 36 \cdots 3$에서 37번째 묶음의 3번째 수인 5입니다.

3 반복되는 부분은 1, 2, 3, 1, 1이고 이들의 합은 8입니다.

$100 \div 5 = 20$(묶음)이므로 총 합은 $8 \times 20 = 160$입니다.

4 반복되는 부분은 ⑩ ㊿⓪ ⑩⑩ ⑩ ㊼ 이므로

$888 \div 5 = 177 \cdots 3$에서 100원짜리입니다.

5 $10 + 500 + 100 + 10 + 50 = 670$(원)이 6묶음이고 낱개가 2이므로 $670 \times 6 + 10 + 500 = 4530$(원)입니다.

6 $8650 \div (10 + 500 + 100 + 10 + 50)$
$= 8650 \div 670 = 12 \cdots 610$이므로

5개씩 12묶음과 3개의 동전을 더 놓아야 하므로

$5 \times 12 + 3 = 63$(번째) 동전까지입니다.

7 일주일 간격으로 반복되어 같은 요일이 되고

$(26 - 1) \div 7 = 3 \cdots 4$에서 나머지가 4이므로

화, 수, 목, ㉯요일입니다.

8 4월 8일부터 5월 5일까지는

$(30 - 8) + 5 = 27$(일)이므로

$27 \div 7 = 3 \cdots 6$에서 목, 금, 토, 일, 월, ㉮요일입니다.

9 $13 + 31 + 31 = 75$(일)이므로 $100 - 75 = 25$에서 9월 25일입니다.

10 $23 \div 7 = 3 \cdots 2$에서 일, ㉿요일입니다.

11 $5 \div 13 = 0.384615384615 \cdots$ 이므로

반복되는 부분은 3, 8, 4, 6, 1, 5로 6개입니다.

따라서 $124 \div 6 = 20 \cdots 4$에서 소수점 아래 124째 자리의 숫자는 6입니다.

12 $30 \div 6 = 5$이므로

$(3 + 8 + 4 + 6 + 1 + 5) \times 5 = 135$입니다.

왕중왕 문제 **165~168**

1 210	**2** 21 cm
3 수요일	
4 2021년 2월 2일 : 화요일	
2022년 2월 2일 : 수요일	
5 월요일, 66	**6** 126번
7 7	**8** 298번째와 299번째
9 254	**10** 130
11 7월 2일 금요일	**12** 133 cm

[풀이]

1 $(1 + 2 + 3 + 4 + 5 + 6) \times 10 = 210$

2 $441 \div (1 + 2 + 3 + 4 + 5 + 6)$
$= 441 \div 21 = 21$(cm)

3 $27 + 31 + 30 + 31 + 8 = 127$(일) 후이므로

$127 \div 7 = 18 \cdots 1$에서 수요일입니다.

4 2020년 2월 2일 이후 2021년 2월 2일까지는 366일간이므로 $366 \div 7 = 52 \cdots 2$에서 2021년 2월 2일은 화요일입니다.
2021년 2월 2일 이후 2022년 2월 2일까지는 365일간이므로 $365 \div 7 = 52 \cdots 1$에서 2022년 2월 2일은 수요일입니다.

5 1년은 365일이므로 3년은 $365 \times 3 = 1095$(일)입니다.
$1095 \div 7 = 156 \cdots 3$에서 동민이의 생일은 금요일부터 3일 후인 월요일입니다.
또한 2023년 11월의 월요일인 날짜의 합은 $6 + 13 + 20 + 27 = 66$입니다.

6 반복되는 부분은 2, 2, 3, 8, 5, 4, 2, 9로 한 묶음에 2는 3번, 5는 1번 있으므로 한 묶음마다 2가 2번 더 있습니다.
$500 \div 8 = 62 \cdots 4$에서 $2 \times 62 + 2 = 126$(번) 더 많이 나옵니다.

7
$$3 \qquad = ③$$
$$3 \times 3 \qquad = ⑨$$
$$3 \times 3 \times 3 \qquad = 2⑦$$
$$3 \times 3 \times 3 \times 3 \qquad = 8①$$
$$3 \times 3 \times 3 \times 3 \times 3 = 24③$$
$$\vdots$$
일의 자리 숫자는 3, 9, 7, 1이 반복되므로 $999 \div 4 = 249 \cdots 3$에서 일의 자리의 숫자는 7입니다.

8 반복되는 부분은 A, B, C, B, B, A이므로 $6 \times 50 - 2 = 298$(번째)와 $6 \times 50 - 1 = 299$(번째)입니다.

9 4개씩 묶어 보면 자연수 부분은 0, 1, 2, 3, …으로 1씩 커지고 분수 부분은 $\frac{1}{5}$, $\frac{2}{7}$, $\frac{3}{9}$, $\frac{4}{11}$가 반복됩니다.
$150 \div 4 = 37 \cdots 2$이므로
150번째 분수는 $37\frac{2}{7} = \frac{261}{7}$입니다.
따라서 분모 분자의 차는 $261 - 7 = 254$입니다.

10 같은 수끼리 묶어 보면 1, (2, 2), (3, 3, 3), (4, 4, 4, 4), …이므로
10번째 수는 4번째 묶음의 마지막 수이므로 4입니다.
30번째 수는 8번째 묶음의 두 번째 수이므로 8입니다.

따라서 $4 + 5 \times 5 + 6 \times 6 + 7 \times 7 + 8 \times 2 = 130$입니다.

별해 처음부터 30번째까지의 합에서 9번째까지의 합을 빼서 구합니다.
$(1 + 4 + 9 + 16 + 25 + 36 + 49 + 16)$
$- (1 + 4 + 9 + 12) = 130$

11 중간에 해당하는 날은 1월 1일부터 세어 $(365 + 1) \div 2 = 183$(일)째 되는 날입니다.
따라서 중간에 해당하는 날은 $183 - (31 + 28 + 31 + 30 + 31 + 30) = 2$에서 7월 2일입니다.
5월 5일이 수요일이고 7월 2일까지는 $26 + 30 + 2 = 58$(일) 후이므로 $58 \div 7 = 8 \cdots 2$에서 금요일입니다.

12 고리의 안쪽 지름끼리 연결됨을 생각합니다.

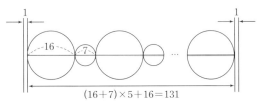

$$(16 + 7) \times 5 + 16 = 131$$

따라서 전체 길이는 $131 + 2 = 133$(cm)입니다.

2. 남고 모자람의 관계를 이용하여 해결하는 문제 (과부족산)

search 탐구 `169`

풀이
12, 12, 6, 6, 23
답 6, 23

EXERCISE

1 12, 4   **2** 8명, 76개

[풀이]

2 (사람 수) $= (12 + 4) \div (10 - 8) = 8$(명)
(구슬 수) $= 8 \times 8 + 12 = 76$(개)

왕 문제 `170~173`

1 4명   **2** 5 L
3 23 m 40 cm   **4** 54장
5 10자루   **6** 79개

7 의자 : 66개, 학생 : 288명

8 40장　　　　　**9** 12개

10 300개　　　　**11** 325개

12 235개

[풀이]

1 나누어 가진 사람 수를 □명이라고 하면

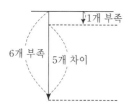

따라서 사람 수는 5÷(5−4)=5(명)이므로
율기 친구는 5−1=4(명)입니다.

|참고|

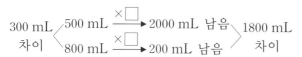

2 작은 물통의 수를 □개라고 하면

300 mL 차이 ⟨ 500 mL —×□→ 2000 mL 남음 / 800 mL —×□→ 200 mL 남음 ⟩ 1800 mL 차이

따라서 작은 물통의 수는 1800÷300=6(개)이므로
큰 물통에 들어 있는 물은
500×6+2000=5000(mL)=5(L)입니다.

|참고|

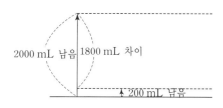

3 학생 수를 □명이라고 하면

30 cm 차이 ⟨ 1 m 20 cm —×□→ 300 cm 남음 / 1 m 50 cm —×□→ 210 cm 부족 ⟩ 510 cm 차이

따라서 학생 수는 510÷30=17(명)이고
색 테이프의 길이는
120×17+300=2340(cm) ➡ 23 m 40 cm입니다.

|참고|

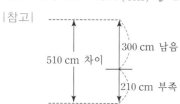

4 학생 수를 □명이라고 하면

3장 차이 ⟨ 12장 —×□→ 18장 부족 / 9장 —×□→ 0 ⟩ 18장 차이

따라서 학생 수는 18÷3=6(명),
색종이 수는 9×6=54(장)입니다.

5 □명이 나누어 가진다고 하면

2자루 차이 ⟨ 3자루 —×□→ 4자루 남음 / 5자루 —×□→ 0 ⟩ 4자루 차이

따라서 사람 수는 4÷2=2(명),
연필 수는 5×2=10(자루)입니다.

6 □명에게 나누어 준다고 하면

2개 차이 ⟨ 4개 —×□→ 11개 남음 / 6개 —×□→ 23개 부족 ⟩ 34개 차이

따라서 사람 수는 34÷2=17(명),
귤 수는 4×17+11=79(개)입니다.

7 의자 수를 □개라고 하면

2명 차이 ⟨ 4명 —×□→ 24명 남음 / 6명 —×□→ 108명 부족 ⟩ 132명 차이

따라서 의자 수는 132÷2=66(개),
학생 수는 4×66+24=288(명)입니다.

8 처음에 □장씩 나누어 주려고 하였다면

3명 차이 ⟨ 5명 —×□→ 0 / 8명 —×□→ 24장 부족 ⟩ 24장 차이

따라서 24÷3=8(장)씩 나누어 줄 예정이었으므
로 사 온 색도화지는 5×8=40(장)입니다.

9 □명의 사람에게 나누어 준다고 하면

2개 차이 ⟨ 8개 —×□→ 24개 남음 / 10개 —×□→ 12개 남음 ⟩ 12개 차이

따라서 사람 수는 12÷2=6(명),
귤 수는 8×6+24=72(개)이므로
72÷6=12(개)씩 주면 됩니다.

10 상자의 수를 □개라고 하면

5개
차이
$\left\{\begin{array}{l}15개 \xrightarrow{\times\square} 75개 남음 \\ 20개 \xrightarrow{\times\square} 0\end{array}\right\}$ 75개
차이

따라서 상자 수는 $75 \div 5 = 15$(개),
사과는 $20 \times 15 = 300$(개)입니다.

11 상자가 부족한 것은 사과가 남는 것으로 상자를 채우지 못하는 것은 사과가 부족한 것으로 생각하여 해결합니다.
상자 수를 □개라 하면

5개
차이
$\left\{\begin{array}{l}25개 \xrightarrow{\times\square} 50개 남음 \\ 30개 \xrightarrow{\times\square} 5개 부족\end{array}\right\}$ 55개
차이

따라서 상자 수는 $55 \div 5 = 11$(개),
사과는 $25 \times 11 + 50 = 325$(개)입니다.

12 통의 수를 □개라 하면

5개
차이
$\left\{\begin{array}{l}20개 \xrightarrow{\times\square} 15개 남음 \\ 25개 \xrightarrow{\times\square} 40개 부족\end{array}\right\}$ 55개
차이

따라서 통의 개수는 $55 \div 5 = 11$(개),
구슬은 $20 \times 11 + 15 = 235$(개)입니다.

왕중왕문제 **174~177**

1 1200원	2 255쪽
3 45명	4 102 L
5 63개	6 3000원
7 공책 : 368권, 학생 : 40명	
8 69개	9 216개
10 76개	11 39개
12 58자루	

[풀이]

1 B 물건을 8개 살 돈으로 A 물건을 8개 샀다면
$20 \times 8 = 160$(원)이 부족한 셈입니다.
A물건 1개의 가격을 □원이라 하면

3개
차이
$\left\{\begin{array}{l}A물건 5개 \xrightarrow{\times\square} 350원 남음 \\ A물건 8개 \xrightarrow{\times\square} 160원 부족\end{array}\right\}$ 510원
차이

따라서 A 물건의 가격은 $510 \div 3 = 170$(원)이므로 지혜가 가지고 있는 돈은
$5 \times 170 + 350 = 1200$(원)입니다.

2 매일 25쪽씩 읽으려면 $25 - 5 = 20$(쪽)이 부족하고, 32쪽씩 읽으려면 97쪽이 부족한 셈입니다.
책을 읽은 날수를 □일이라고 하면

7쪽
차이
$\left\{\begin{array}{l}25쪽 \xrightarrow{\times\square} 20쪽 부족 \\ 32쪽 \xrightarrow{\times\square} 97쪽 부족\end{array}\right\}$ 77쪽
차이

따라서 책을 읽는 날수는 $77 \div 7 = 11$(일),
책의 쪽수는 $25 \times 11 - 20 = 255$(쪽)입니다.

3 학생 수를 □명이라고 하면

100원
차이
$\left\{\begin{array}{l}500원 \xrightarrow{\times\square} 3000원 부족 \\ 400원 \xrightarrow{\times\square} 1500원 남음\end{array}\right\}$ 4500원
차이

따라서 학생 수는 $4500 \div 100 = 45$(명)입니다.

4 작은 물통의 개수를 □개라 하면

1.5 L
차이
$\left\{\begin{array}{l}3 L \xrightarrow{\times\square} 30 L 남음 \\ 4.5 L \xrightarrow{\times\square} 6 L 부족\end{array}\right\}$ 36 L
차이

따라서 작은 물통의 수는
$36 \div 1.5 = 360 \div 15 = 24$(개)이므로
큰 물통의 들이는 $3 \times 24 + 30 = 102$(L)입니다.

5 매일 10개씩 주면 $10 - 3 = 7$(개) 부족하고, 매일 13개씩 주면 28개 부족한 셈입니다.

3개
차이
$\left\{\begin{array}{l}10개 \xrightarrow{\times\square} 7개 부족 \\ 13개 \xrightarrow{\times\square} 28개 부족\end{array}\right\}$ 21개
차이

따라서 도토리를 주는 날 수는 $21 \div 3 = 7$(일),
도토리의 개수는 $10 \times 7 - 7 = 63$(개)입니다.

6 연필을 12자루 살 돈으로 공책을 12권 산다면
$50 \times 12 = 600$(원) 부족한 셈입니다.
공책 1권의 가격을 □원이라 하면

4권
차이
$\left\{\begin{array}{l}공책\ 8권 \xrightarrow{\times\square} 600원 남음 \\ 공책\ 12권 \xrightarrow{\times\square} 600원 부족\end{array}\right\}$ 1200원
차이

따라서 공책 한 권의 값은 $1200 \div 4 = 300$(원)이므로 $8 \times 300 + 600 = 3000$(원)을 갖고 있습니다.

7 학생 모두에게 9권씩 주면 8권이 남고, 10권씩 주면 $42 - (12 - 10) \times 5 = 32$(권) 부족한 셈이므로

학생은 $(8+32)\div(10-9)=40$(명),
공책은 $40\times9+8=368$(권)입니다.

8 어린이와 어른 수가 같다고 생각하여 어린이에게
4개씩, 어른에게 2개씩 주면 $25+4\times5=45$(개)
남고, 어린이에게 7개씩, 어른에게 4개씩 주면
$7\times5-10=25$(개) 남는 셈이므로
어른의 수는 $(45-25)\div(11-6)=4$(명),
어린이의 수는 $4+5=9$(명)입니다.
따라서 사과는 $4\times9+2\times4+25=69$(개)입니다.

9 모두에게 10개씩 나누어 주면 4개 부족하고,
모두에게 8개씩 나누어 주면
$20+(12-8)\times3+(10-8)\times4=40$(개)가 남게 되
므로 사람 수는 $(4+40)\div(10-8)=22$(명),
구슬의 개수는 $22\times10-4=216$(개)입니다.

10 귤과 사탕의 합에서 귤을 $2\times3=6$(개) 빼고,
사탕을 $10\times5=50$(개) 더하여 학생들에게 나누
어 주면 꼭맞습니다.
따라서 학생 수는
$(376-6+50)\div(2+10)=35$(명),
귤의 개수는 $35\times2+6=76$(개)입니다.

11 귤과 감의 개수의 비는 3 : 1이므로
감을 4개씩 나누어 줄 때 7개가 남는다면 귤은
$4\times3=12$(개)씩 나누어 줄 때 $7\times3=21$(개) 남
는 셈입니다.
따라서 사람 수는 $(21+3)\div(15-12)=8$(명),
감은 $4\times8+7=39$(개)입니다.

12 학생 수의 3배보다 4명 적은 학생에게 3자루씩
주면 2자루 부족하다는 것은 학생 수의 3배에게
3자루씩 주면 $2+4\times3=14$(자루) 부족하다는 뜻
이고, 또한 학생 수대로 $3\times3=9$(자루)씩 주면
14자루 부족하다는 뜻이 된다.
따라서 학생 수대로 5자루씩 주면 18자루 남는
다는 것과 관련시켜 생각할 때,
학생 수는 $(14+18)\div(9-5)=8$(명)이고,
연필 수는 $8\times5+18=58$(자루)입니다.

3. 차가 일정한 것에 착안하여 해결하는 문제
(연령산)

search 탐구 178

풀이
30, 30, 15, 15, 4

답 4

EXERCISE

1 28 　　　　　　**2** 28살
3 19년

[풀이]

2 $28\div(2-1)=28$(살)

3 $28-9=19$(년)

왕 문제 179~182

1 2년 　　　　　**2** 6년
3 40세 　　　　　**4** 40살
5 4년 　　　　　**6** 5년
7 7년 　　　　　**8** 12주
9 8일 　　　　　**10** 18년
11 18일 후 　　　**12** 19일 후

[풀이]

1 나이 차는 $46-13=33$(살)이고, 아버지의 연세가
아들의 나이의 4배일 때 아들의 나이는
$33\div(4-1)=11$(살)이므로
지금부터 $13-11=2$(년) 전입니다.

2 나이 차는 $64-4=60$(살)이고, 할아버지의 연세
가 손자의 나이의 7배가 될 때 손자의 나이는
$60\div(7-1)=10$(살)이므로
$10-4=6$(년) 후입니다.

3 10년 전 아버지의 연세와 아들의 나이의 합은
$55-10\times2=35$(살)이고 아버지의 연세가 아들 나
이의 6배이므로 아들은 $35\div(6+1)=5$(살),
아버지는 30세였습니다.
따라서 현재 아버지는 $30+10=40$(세)입니다.

4 딸의 나이는 24÷(4-1)=8(살)이므로 어머니의 연세는 8×4=32(세)입니다.
따라서 두 사람의 나이의 합은 32+8=40(살)입니다.

5 몇 년 후 예슬이의 나이는
(32-5)÷(4-1)=9(살)이므로
9-5=4(년) 후입니다.

6 몇 년 전 동민이의 나이는
(35-11)÷(5-1)=6(살)이므로
11-6=5(년) 전입니다.

7 몇 년 전 학생의 나이는
(42-12)÷(7-1)=5(살)이므로
12-5=7(년) 전입니다.

8 율기와 한솔이의 돈의 차는
12000-8000=4000(원)이므로 율기의 남은 돈이 한솔이의 남은 돈의 3배가 되는 것은 한솔이의 남은 돈이 4000÷(3-1)=2000(원)이 될 때입니다.
따라서 (8000-2000)÷500=12(주) 후입니다.

9 물건의 개수의 차는 384-212=172(개)이므로
A 창고 물건의 개수가 B 창고 물건의 개수의 2배가 되는 것은 B 창고의 물건의 개수가
172÷(2-1)=172(개)가 될 때입니다.
따라서 (212-172)÷5=8(일) 후입니다.

10 두 아들의 나이의 합은 1년에 2살씩 많아지고 아버지 연세는 1살씩 많아지므로 1년마다
2-1=1(살)씩 좁혀집니다.
현재 아버지와 두 아들의 나이의 합과는
40-(9+13)=18(살) 차이이므로 나이가 같아지는 것은 18년 후입니다.

11

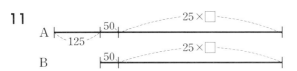

175와 50의 차인 125가 A 창고의 $\frac{1}{5}$이므로
A 창고에 125×5=625(개)가 있을 때
B 창고에는 125×4=500(개)가 됩니다.
(걸린 날 수)=(500-50)÷25=18(일 후)

12

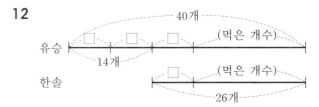

(한솔이의 남은 개수)=(40-26)÷(3-1)=7(개)
따라서 1개씩 먹은 날 수는 26-7=19(일)입니다.

왕중왕문제 **183~186**

1 24살	**2** 11년
3 1000원	**4** 20살
5 200원	**6** 7년
7 23분	**8** 11살
9 40세	**10** 3년
11 A : 18살, B : 9살, C : 4살	
12 5년	

[풀이]

1 현재 나이의 차는 36-20=16(살)이므로
16÷(2-1)=16(년) 후에 나이가 같아집니다.
따라서 그때의 동생의 나이는
(20-4)÷2+16=24(살)입니다.

2 할머니의 연세가 두 손자 나이의 합의 2배가 된다는 것은 할머니의 연세에서 두 손자의 나이의 합을 뺀 값이 곧 두 손자의 나이의 합이라는 것에 착안합니다.
▲년 후에 할머니의 연세가 두 손자 나이의 합의 2배가 된다면

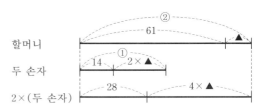

따라서 (61-28)÷(4-1)=11(년) 후가 됩니다.

3 두 사람의 금액의 차이는 2500-1500=1000(원)으로 일정하며, 율기가 갖게 된 금액은 한별이가 갖게 된 금액의 $1\frac{2}{5}$배이면 율기는 1000÷(7-5)×7=3500(원), 한별이는 1000÷(7-5)×5=2500(원)이어야 하므로 각각 받은 금액은 3500-2500=1000(원)씩입니다.

4 아버지의 나이는 $60 \times \dfrac{3}{4} = 45$(살),

딸은 $60-45=15$(살)이므로 두 사람의 나이의 차는 $45-15=30$(살)이며 항상 일정합니다.

아버지가 딸의 나이의 2.5배가 될 때의 딸의 나이는 $30 \div (2.5-1)=20$(살)입니다.

5 규형이와 지혜의 돈의 차는

$3000-1500=1500$(원)으로 일정하므로

지혜의 남은 돈은 $1500 \div (4-1)=500$(원)입니다.

따라서 연필 한 자루의 값은

$(1500-500) \div 5=200$(원)입니다.

6 선생님과 세 학생의 나이의 합의 차는

$51-(15+12+10)=14$(살)입니다.

따라서 $14 \div (3-1)=7$(년) 후입니다.

7 □분 후의 상황을 선분도로 나타내어 봅니다.

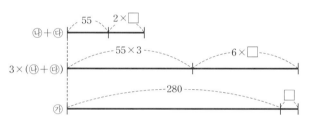

따라서 $(280-55 \times 3) \div (6-1)=23$(분) 후입니다.

8

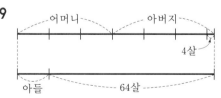

4년 전의 석기의 나이와 24년 후의 석기의 나이의 차는 $4+24=28$(살)입니다.

따라서 4년 전 석기의 나이는

$28 \div (5-1)=7$(살)이므로 현재의 나이는

$7+4=11$(살)입니다.

9

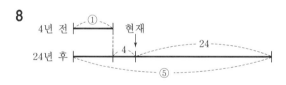

$64-4=60$(살)은 아들의 나이의 $3 \times 2-1=5$(배)이므로 아들은 $60 \div 5=12$(살)입니다.

따라서 아버지의 나이는 $12 \times 3+4=40$(세)입니다.

10 □년 후의 상황을 선분도로 나타내어 봅니다.

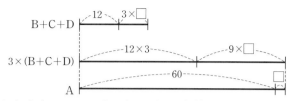

따라서 $(60-12 \times 3) \div (9-1)=3$(년) 후입니다.

11 5년 후 A+B+C의 나이는 $31+5 \times 3=46$(살)이므로 5년 후 A의 나이는 $46 \div 2=23$(살)입니다.

따라서 5년 후 B의 나이는

$(23+5) \div 2=14$(살), 5년 후 C의 나이는

$14-5=9$(살)이므로

현재 A는 $23-5=18$(살), B는 $14-5=9$(살), C는 $9-5=4$(살)입니다.

12 □년 후의 상황을 선분도로 나타내 봅니다.

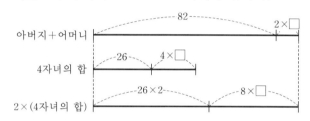

따라서 $(82-26 \times 2) \div (8-2)=5$(년) 후입니다.

4. 같은 부분을 없애어 해결하는 문제 (소거산)

s e a r c h 탐구 **187**

풀이

3, 900, 900, 5, 300, 300, 200

답 200, 300

EXERCISE

1 4   **2** 300원

3 500원

[풀이]

2 $(3100-1900) \div 4=300$(원)

3 $(1900-300 \times 3) \div 2=500$(원)

왕문제 **188~191**

1 20000원	**2** 800원
3 호박 : 320원, 오이 : 250원	
4 10800원	**5** 500원
6 2400원	**7** 3000원
8 2500원	**9** 1500원
10 1800원	**11** 4800원
12 150원	

[풀이]

1 (사과 한 상자의 값)
$= (148000 - 124000) \div (4 - 2)$
$= 12000$(원)
(배 한 상자의 값)
$= (124000 - 12000 \times 2) \div 5$
$= 20000$(원)

2 (색도화지 한 장의 값)
$= (7000 - 5600) \div (10 - 3)$
$= 200$(원)
(색종이 한 묶음의 값)
$= (7000 - 2000) \div 5$
$= 1000$(원)
따라서 가격의 차는 $1000 - 200 = 800$(원)입니다.

3 (오이 한 개의 값)
$= (29450 - 25450) \div 16$
$= 250$(원)
(호박 한 개의 값)
$= (25450 - 250 \times 57) \div 35$
$= 320$(원)

4 (감자 $1 \, \mathrm{kg}$의 값)
$= (14400 - 8400) \div (6 - 2)$
$= 1500$(원)
(고구마 $6 \, \mathrm{kg}$의 값)
$(8400 - 1500 \times 2) \div 3 \times 6$
$= 10800$(원)

5 귤 한 개의 값은
$(5500 - 4500) \div (25 - 20) = 200$(원)이므로
상자만의 가격은
$4500 - 20 \times 200 = 500$(원)입니다.

6 배 한 개의 값은

[우측 단]

$(7600 - 6000) \div (7 - 5) = 800$(원)이므로
배 3개의 값은 $800 \times 3 = 2400$(원)입니다.

7 지우개 한 개의 값은
$(2000 - 1700) \div (5 - 3) = 150$(원)이므로
공책 12권의 값은
$(1700 - 150 \times 3) \div 5 \times 12 = 3000$(원)입니다.

8 사탕 한 봉지의 값은
$(6500 - 4300) \div (5 - 3) = 1100$(원)이므로
초콜릿 5개의 값은
$(4300 - 1100 \times 3) \div 2 \times 5 = 2500$(원)입니다.

9 과자 2봉지와 사탕 4봉지의 값이 5000원이므로
과자 4봉지와 사탕 8봉지의 값은
$5000 \times 2 = 10000$(원)입니다.
따라서 과자 한 봉지의 값은
$(10500 - 10000) \div (5 - 4) = 500$(원)이므로
과자 3봉지의 값은 $500 \times 3 = 1500$(원)입니다.

10 공책 3권과 연필 2타의 값이 4500원이므로
공책 6권과 연필 4타의 값은
$4500 \times 2 = 9000$(원)입니다.
따라서 공책 한 권의 값은
$(9600 - 9000) \div (8 - 6) = 300$(원)이므로
연필 한 타의 값은
$(4500 - 300 \times 3) \div 2 = 1800$(원)입니다.

11 과자 3봉지와 사탕 5봉지의 값이 4900원이므로
과자 6봉지와 사탕 10봉지의 값은
$4900 \times 2 = 9800$(원)입니다.
따라서 과자 한 봉지의 값은
$(10400 - 9800) \div (8 - 6) = 300$(원),
사탕 한 봉지의 값은
$(4900 - 3 \times 300) \div 5 = 800$(원)이므로
사탕 6봉지의 값은 $800 \times 6 = 4800$(원)입니다.

12 공책 5권과 연필 2타의 값이 5100원이므로
공책 10권과 연필 4타의 값은
$5100 \times 2 = 10200$(원)입니다.
따라서 공책 한 권의 값은
$(10200 - 8100) \div (10 - 3) = 300$(원)이므로
연필 한 자루의 값은
$(5100 - 300 \times 5) \div 2 \div 12 = 150$(원)입니다.

왕중왕 문제 192~195

1 900
2 1000원
3 5100원
4 9000원
5 18000원
6 당근 : 300원, 오이 : 220원
7 2500원
8 볼펜 : 300원, 샤프펜슬 : 1000원
9 19200원
10 70
11 150원
12 4000원

[풀이]

1 두 조건에서의 차이인 A의 $\frac{2}{3}$가 $2100-1300=800$

을 뜻하므로 A는 $800 \div 2 \times 3 = 1200$,

B는 $2100 - 1200 = 900$입니다.

별해 A를 ①, B를 △ 로 놓아 선분도로 나타내면

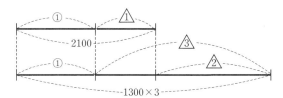

따라서 △ 의 값은

$(3900-2100) \div 2 = 900$입니다.

2 (율기의 3배) + (신영의 3배) $= 9000$(원)

(율기의 2배) + (신영의 3배) $= 8000$(원)

따라서 율기는 $(9000-8000) \div (3-2) = 1000$(원)

을 가지고 있습니다.

3 야구공 1개와 탁구공 1개의 금액은

$3000 \div 2 = 1500$(원)이므로

탁구공 한 개의 값은

$(3000-1500) \div (6-1) = 300$(원)이고

야구공 한 개의 값은 $1500-300=1200$(원)입니다.

따라서 야구공 3개와 탁구공 5개의 값은

$3 \times 1200 + 5 \times 300 = 5100$(원)입니다.

4 귤의 개수를 20개로 같게 만들면

사과 $10 \times 2 = 20$(개)와 귤 $10 \times 2 = 20$(개)의 값은

$8600 \times 2 = 17200$(원)이 되므로

사과 1개의 값은

$(17200-10000) \div (20-8) = 600$(원)입니다.

따라서 사과 15개의 값은

$600 \times 15 = 9000$(원)입니다.

5 양말 3켤레와 손수건 4장을 각각 3배하면

양말 9켤레와 손수건 12장이 되고 가격은

$9000 \times 3 = 27000$(원)이 됩니다.

따라서 손수건 한 장의 값은

$(27000-25200) \div (12-10) = 900$(원)이고

양말 10켤레의 값은

$(9000 - 900 \times 4) \div 3 \times 10 = 18000$(원)입니다.

6 당근 3개의 값은 오이 3개와 $80 \times 3 = 240$(원)의 합과

같으므로 문제에서 오이 $3+5=8$(개)의 값은

$2000-240=1760$(원)입니다.

따라서 오이 한 개의 값은 $1760 \div 8 = 220$(원)이고

당근 한 개의 값은 $220+80=300$(원)입니다.

7 비누의 개수를 3개로 같게 만들면 화장지

$1 \times 3 = 3$(개)와 비누 $1 \times 3 = 3$(개)의 값은

$1100 \times 3 = 3300$(원)입니다.

이것은 화장지 $3+2=5$(개)의 값과 800원의 합이

되므로 화장지 5개의 값은 $3300-800=2500$(원)

입니다.

8 볼펜 4자루와 샤프펜슬 2자루의 값이 3200원이므

로 볼펜 2자루와 샤프펜슬 1자루의 값은

$3200 \div 2 = 1600$(원)입니다.

따라서 볼펜 14자루와 샤프펜슬 7자루의 값은

$1600 \times 7 = 11200$(원)입니다.

그러므로 볼펜 1자루의 값은

$(11200-8500) \div (14-5) = 300$(원),

샤프펜슬 1자루의 값은

$1600 - 300 \times 2 = 1000$(원)입니다.

9 두 수량의 관계에서 갈치 $5-3=2$(마리)와 꽁치

$8-5=3$(마리)의 값은 $16400-10000=6400$(원)

입니다.

따라서 갈치 $2 \times 3 = 6$(마리)와 꽁치 $3 \times 3 = 9$(마리)

의 값은 $6400 \times 3 = 19200$(원)입니다.

10 A의 $\frac{1}{3}$이 B보다 30 크다면 A는 B의 3배보다

90 큽니다.

따라서 A는 B의 5배보다 50 작은 동시에 B의 3

배보다 90 큰 셈이므로 B의 2배는 $50+90=140$

입니다.

그러므로 B는 $140 \div 2 = 70$입니다.

11 지우개 $10 \times 3 = 30$(개)와 연필 $1 \times 3 = 3$(타)의 값

은 $2600 \times 3 = 7800$(원)이고,

연필 3타는 지우개 67개의 값에 40원을 더한 값이라고 하였으므로

지우개 1개의 값은

$(7800-40) \div (30+67) = 80$(원)입니다.

따라서 연필 1자루의 값은

$(2600-10 \times 80) \div 12 = 150$(원)입니다.

12 축구공 1개의 값이 배구공 2개의 값이므로

축구공 4개의 값은 배구공 $2 \times 4 = 8$(개),

축구공 7개의 값은 배구공 $2 \times 7 = 14$(개)의 값입니다.

따라서 배구공 $2+8 = 10$(개)와 농구공 3개의 값은 42000원, 배구공 $3+14 = 17$(개)와 농구공 5개의 값은 71000원입니다.

두 수량의 관계에서 배구공의 개수를 170개로 같게 만들어 생각하면 배구공 $10 \times 17 = 170$(개)와 농구공 $3 \times 17 = 51$(개)의 값은

$42000 \times 17 = 714000$(원),

배구공 $17 \times 10 = 170$(개)와 농구공 $5 \times 10 = 50$(개)의 값은 $71000 \times 10 = 710000$(원)이므로

농구공 1개의 값은

$(714000-710000) \div (51-50) = 4000$(원)입니다.

5. 전체의 차를 개별의 차로 나누어 해결하는 문제 (차집산)

s e a r c h 탐구 `196`

풀이

50, 50, 7, 7, 1400, 50, 7, 7, 1400

답 1400

EXERCISE

1 150원　　　　　　**2** 1200원

3 8개

[풀이]

3 $1200 \div (500-350) = 8$(개)

왕 문제 `197~200`

1 2500원　　　　　　**2** 250원

3 9개월　　　　　　**4** 63개

5 17100원　　　　　　**6** 2400원

7 24개　　　　　　**8** 180개

9 210쪽　　　　　　**10** 9600원

11 32분　　　　　　**12** 3600 m

[풀이]

1 공책 수는 $500 \div (300-250) = 10$(권)이므로 신영이는 $250 \times 10 = 2500$(원)을 사용하였습니다.

2 $1250 \div 5 = 250$(원)

　↑　　　↑

전체의 차　개별의 차

3 $4500 \div (2500-2000) = 9$(개월)

4 $1260 \div (100-80) = 63$(개)

5 학급의 학생 수가 $1900 \div (500-450) = 38$(명)이므로 처음에 걷으려던 성금은 $38 \times 450 = 17100$(원)입니다.

6 과자의 개수는 $800 \div (300-200) = 8$(개)이므로 준비한 돈은 $300 \times 8 = 2400$(원)입니다.

7 전체의 차는 $250 \times 4 = 1000$(원)이고, 개별의 차는 $300-250 = 50$(원)이므로 300원짜리 물건은 $1000 \div 50 = 20$(개) 살 수 있습니다.

따라서 250원짜리 물건은 $20+4 = 24$(개) 살 수 있습니다.

8 전체의 차는 18개, 개별의 차는 $15-12 = 3$(개)이므로 주머니 개수는 $18 \div 3 = 6$(개)입니다.

따라서 구슬 수는 $(12+15) \times 6+18 = 180$(개)입니다.

9 전체의 차는 35쪽, 개별의 차는 $30-25 = 5$(쪽)이므로 예정한 날 수는 $35 \div 5 = 7$(일)이고 책의 전체 쪽수는 $30 \times 7 = 210$(쪽)입니다.

10 전체의 차는 $600+900 \times 2 = 2400$(원)이고, 개별의 차는 $1200-900 = 300$(원)입니다.

따라서 물건의 개수는 $2400 \div 300 = 8$(개)이고, 가지고 있는 돈은 $8 \times 1200 = 9600$(원)입니다.

11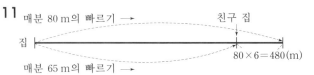

1분 동안 65 m를 걷는 빠르기로 친구 집까지 가는 시간만큼 1분 동안 80 m를 걷는 빠르기로 가

면 480 m 더 멀리 갑니다.

즉, 전체의 차는 480 m이고, 개별의 차는

80－65＝15(m)이므로

480÷15＝32(분) 만에 친구 집에 도착합니다.

12

매분 100 m의 빠르기 →

출발점 ━━━━━━━━━━━━ 목적지
　　　　　　　　　　90×4＝360(m)

매분 90 m의 빠르기 →

전체의 차는 360 m이고, 개별의 차는

100－90＝10(m)이므로

처음 예정했던 시간은 360÷10＝36(분)입니다.

따라서 목적지까지의 거리는 100×36＝3600(m)

입니다.

왕중왕 문제 **201~204**

1 13일	**2** 5100원
3 2000 m	**4** 230개
5 9 L	**6** 12자루
7 6개월	**8** 300 km, 50 km
9 1440000원	**10** 455 km
11 5000원	**12** 15개

[풀이]

1 전체의 차는 6시간 30분, 개별의 차는 30분이므로

6시간 30분÷30분＝390분÷30분＝13

따라서 13일 동안 공부하였습니다.

2 값이 비싼 공책 8권을 200원 더 싼 공책으로 샀다

고 가정하면 남는 돈은

8×200＋1100＝2700(원)입니다.

따라서 값이 싼 공책 한 권의 값은

2700÷(17－8)＝300(원)이므로

한별이는 300×17＝5100(원) 가지고 갔습니다.

3

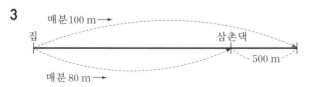

매분100 m →

집 ━━━━━━━━━━━━ 삼촌댁
　　　　　　　　　　　　500 m

매분 80 m →

같은 시간 동안 1분 동안 100 m씩 간 거리와 1분

동안 80 m씩 간 거리의 차는 500 m이므로

500÷(100－80)＝25(분)에서 삼촌댁까지의 거리

는 80×25＝2000(m)입니다.

4 600원인 사과를 120원 할인한 값은 480원이고,

전체의 차는 480×80－20400＝18000(원),

개별의 차는 600－480＝120(원)이므로

600원에 팔던 사과의 개수는

18000÷120＝150(개)입니다.

따라서 오늘 팔린 사과의 수는

150＋80＝230(개)입니다.

5 B 수도관 쪽의 물통이 가득 채워질 때, A 수도관

쪽의 물통은 120×15＝1800(mL) 덜 채워집니다.

따라서 전체의 차는 1800 mL, 개별의 차는

150－120＝30(mL)이므로 B 수도관 쪽의 물통이

채워지기까지 걸린 시간은 1800÷30＝60(초)입니다.

그러므로 물통의 들이는

150×60＝9000(mL)＝9(L)입니다.

6 율기가 산 연필 수가 상연이와 같다고 하면 율기

가 낸 연필 값은 1200－3×250＝450(원) 더 많은

셈입니다.

따라서 전체의 차를 450원, 개별의 차를

250－200＝50(원)으로 볼 때,

상연이의 연필 수는 450÷50＝9(자루)이므로

율기는 9＋3＝12(자루)입니다.

7 전체의 차는 200＋1100×2＝2400(원)이고, 개별의

차는 1500－1100＝400(원)이므로

율기가 저금한 달 수는 2400÷400＝6(개월)입니다.

8 처음 1시간에 가려던 거리를 ①km로 놓으면

A에서 B까지의 거리는 ⑥km,

나중 1시간에 가려던 거리를 (①＋10)km로 놓으

면 A에서 B까지의 거리는 (⑤＋50)km입니다.

따라서 ①＝50이므로 처음 1시간에 가려던 거리

는 50 km, A와 B 사이의 거리는

50×6＝300(km)입니다.

9 전체의 차는 1000×300－60000＝240000(원)이고,

개별의 차는 1200－1000＝200(원)이므로

1200원씩 입장한 사람 수는

240000÷200＝1200(명)입니다.

따라서 전날의 입장료 수입은

1200×1200＝1440000(원)입니다.

10

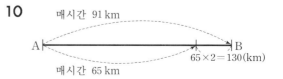

매시간 91 km

A ━━━━━━━━━━━━ B
　　　　　　　　65×2＝130(km)

매시간 65 km

전체의 차는 130 km, 개별의 차는

$91-65=26(km)$이므로

매시간 91 km씩 가면 B에 도착하는 데 걸린 시간은 $130÷26=5(시간)$입니다.

따라서 B까지의 거리는 $91×5=455(km)$입니다.

11 전체의 차는 400원, 개별의 차는

$500-300=200(원)$이므로

사과와 배의 개수의 차이는 $400÷200=2(개)$입니다.

따라서 처음에 사과는 $(12-2)÷2=5(개)$,

배는 $12-5=7(개)$ 사려고 했으므로

율기가 가지고 간 돈은

$5×300+7×500=5000(원)$입니다.

12 귤과 사과의 개수를 반대로 하여 살 때의 전체의 차는 $14700-13200=1500(원)$,

개별의 차는 $600-300=300(원)$이므로 귤을 사과보다 $1500÷300=5(개)$ 더 많이 샀습니다.

귤과 배의 개수를 반대로 하여 살 때의 전체의 차는 $20400-13200=7200(원)$,

개별의 차는 $900-300=600(원)$이므로 귤은 배보다 $7200÷600=12(개)$ 더 많이 샀습니다.

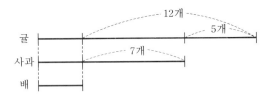

따라서 귤의 개수는

$(13200+600×5+900×12)÷(300+600+900)$

$=15(개)$입니다.

응용
왕수학

정답과 풀이

4 학년

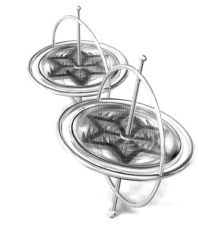
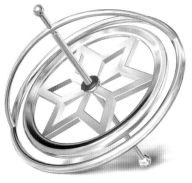